Le Thé

Le Thé

Viola von Wachendorf

p

Sommaire

En Chine, un petit bouquet composé de jeunes feuilles de thé est connu sous le nom de « rose de thé ».

À l'ombre du mont Everest dans l'Himalaya poussent quelques-unes des variétés de thé les plus prisées.

Introduction

Le thé est, avec l'eau, la boisson la plus consommée. Chaque jour dans le monde on boit du thé. Pour certains, il s'agit d'un simple breuvage rafraîchissant, tandis que pour d'autres c'est une véritable philosophie liée à des rituels bien établis et parfois même complexes. Le consommer pur, avec du lait, du citron ou du sucre n'est qu'une question de goût.

Le mot « thé » vient du chinois et il est employé dans presque toutes les langues. Dans les pays qui ont découvert le thé par l'intermédiaire des navigateurs, on utilise le mot « thé » ou bien *tea* en anglais, *Tee* en allemand et *tè* en italien. Dans les pays dans lesquels on importait le thé par voie terrestre, on emploie la désignation *tcha*, terme usuel en chinois.

Tchaï est un dérivé de ce mot dans les pays de langue indienne, arabe et slave.

La désignation de thé est normalement exclusivement applicable aux thés noir ou vert. Mais les infusions d'autres plantes sont souvent appelées « thé » dans certains pays. En principe, le terme « tisane » est plus adapté quand il s'agit d'infusions d'herbes ou de fruits.

Cet ouvrage se propose de vous emmener en voyage dans le monde merveilleux et multiple du thé, qui est bien plus qu'une simple boisson généralement consommée chaude. Le thé est une page de culture et d'histoire, une histoire longue et parfois agitée. Le thé a donné lieu à des guerres. C'est souvent autour d'une tasse de thé que s'est joué le destin du monde, que des empereurs ont même été renversés, tandis que des traités de paix ont été signés et des guerres déclarées.

Le thé est plus qu'une boisson stimulante, c'est aussi un remède. Il est cultivé en Chine depuis 2 500 ans. Le théier est donc la plante de culture la plus ancienne de l'humanité.

Laissez-vous guider dans un voyage qui vous emmènera aux origines du thé et suivez la conquête du globe effectuée par cette plante au fil des siècles.

Visitez avec nous les célèbres cultures en Asie, en Afrique et en Amérique du Sud. Découvrez les différentes variétés de thé, les qualités et les mélanges. Prenez connaissance de nombreux conseils pratiques et suggestions pour la bonne préparation de votre thé favori. Laissez-vous séduire le temps de quelques pages par l'univers merveilleux et exotique des cérémonies du thé, des rituels et des maisons de thé. Installez-vous confortablement et profitez de votre lecture, de préférence en vous relaxant avec une bonne tasse de thé, et imprégnez-vous des propos du légendaire empereur chinois et grand érudit, Chen Nung :

« Le thé éveille l'esprit et les bonnes pensées.

Il rafraîchit ton corps et ton âme.

Si tu es abattu, le thé te redonnera du courage. »

Une plantation de théiers classique. Entre les rangées verdoyantes serpentent d'étroits sentiers qu'empruntent les cueilleuses.

Histoire du thé

La plus ancienne plante cultivée du monde trouve ses origines en Chine. En effet, dans cette région du monde, le théier est cultivé depuis plus de 2 500 ans. Aujourd'hui encore, il est d'usage de servir un bol de thé à ses hôtes en signe de bienvenue et d'amitié. Les Chinois, qui considèrent le thé comme l'une des « sept nécessités » de la vie quotidienne, en consomment à tous les repas. Avant, il désaltère et, après, il facilite la digestion.

Certains textes affirment que le théier est connu depuis cinq millénaires. Cependant, personne ne sait avec exactitude à quelle date il fut découvert. En effet, les plus anciennes données écrites qui attestent de l'existence du thé – des documents témoignant de l'introduction d'un impôt sur la précieuse plante – remontent à environ 220 av. J.-C. À partir de la fin du IXᵉ siècle de notre ère, le sel et le thé étaient, en Chine, les principales sources de revenus de l'État.

Découverte du thé

De nombreux récits évoquent la découverte du thé. C'est ainsi que, d'après la croyance populaire, l'empereur Chen Nung (2737-2697 av. J.-C.) qui faisait bouillir l'eau avant de la boire aurait découvert le thé. Un jour que le vent soufflait, trois feuilles de théier sauvage voltigèrent et tombèrent dans son bol d'eau chaude. L'eau devint alors brun-jaune. L'empereur y trempa ses lèvres et trouva ce breuvage vivifiant et rafraîchissant. Il en aurait, dès lors, dégusté tous les jours.

Chen Nung était l'un des trois empereurs Jaunes, considérés comme des dieux. Dans leur existence d'hommes, ils auraient apporté la

Les feuilles séchées du thé d'apparence insignifiante livrent tous leurs secrets quand elles sont arrosées d'eau très chaude.

Semblables à un manteau de verdure, les théiers d'un vert soutenu épousent les doux reliefs de la plantation.

connaissance à l'humanité. Chen Nung, le « fermier divin » aurait enseigné à son peuple la culture du millet, du froment, du sorgho, du soja et du riz, et il est considéré comme l'initiateur de la médecine chinoise par les plantes. Fu Shi, le premier empereur Jaune, fit connaître le yin et le yang, tandis que l'empereur Huang Ti enseigna l'acupuncture.

Une autre légende, d'origine japonaise, relate que le thé fut découvert par Bodhidharma (vers 495 apr. J.-C.), troisième fils du roi de Madras, Kosjuwo, et premier moine missionnaire du bouddhisme en Chine. Alors qu'il était en pleine méditation, ses yeux se fermèrent brusquement et il s'endormit. À son réveil, il s'insurgea contre sa propre faiblesse, s'arracha les paupières et les jeta avec colère sur le sol. Celles-ci prirent racines, donnant chacune un arbuste à feuilles vertes. Le dignitaire bouddhiste goutta aux feuilles et sa fatigue disparut rapidement. Il se sentit alors étonnamment vigoureux. Le mot *cha* en japonais signifie « thé » mais aussi « paupière ».

Les Indiens croient que le thé fut miraculeusement découvert par le même missionnaire Dharma. Afin de prêcher le bouddhisme, le moine entreprit un voyage de méditation de sept ans à travers la Chine. Il était résolu à ne pas dormir pendant tout son périple. Au bout de cinq ans, lorsque la fatigue l'accabla, il se leva et fit une promenade entre les théiers sauvages. Lorsqu'il en mâcha les feuilles, sa fatigue disparut complètement et il put poursuivre son voyage pendant deux ans sans dormir.

Que l'on ait envie de croire à telle ou telle légende, le fait est que l'on considère la Chine comme le pays d'origine du thé. C'est là que le théier fut cultivé pour la première fois.

Sous les dynasties Song, les feuilles de thé étaient passées à la vapeur, moulues et compressées dans différentes plaques ornementées.

Développement en Chine

Sous les dynasties Han (206 av. J.-C.-220 apr. J.-C.) le thé servit d'abord de remède, d'aliment et d'offrande. Les Chinois le considéraient comme un remède très efficace en cas de fatigue, de céphalées, de problèmes de concentration, d'insuffisance visuelle, de rhumatismes et d'affections de la vessie.

Le premier maître du thé

Sous la dynastie Tang (618-907), le thé était particulièrement apprécié par les moines, les écrivains, les poètes et les peintres en raison de ses vertus stimulantes. Ceux-ci écrivirent des chants, des poèmes et des histoires qui ont été conservés. C'était l'époque de Lu Yu, le grand maître du thé. Orphelin, il grandit dans un temple bouddhiste et se consacra à ses grandes passions qu'étaient le théâtre, l'écriture et l'art

du thé. Ses écrits portant sur l'origine du thé ont été consignés au VIIIᵉ siècle et comportent plusieurs volumes. Dans son traité, le *Cha Jing* ou *Classique du thé*, il recense vingt-quatre accessoires différents nécessaires à la préparation du thé, parmi lesquels des bols et des récipients en porcelaine pour faire chauffer l'eau. L'auteur de cet hymne au thé, devenu entre-temps un breuvage très apprécié, fut considéré comme le « dieu du thé ». L'œuvre du poète introduisit une nouvelle façon de préparer le thé. Jusqu'alors, celui-ci était torréfié dans un wok, puis pulvérisé dans un mortier et enfin mélangé à du lait, ainsi qu'à du riz et à différents ingrédients tels que la cannelle, le gingembre, le jasmin ou l'écorce d'orange. Lu Yu, quant à lui, préférait le thé sans ajout de lait ni d'épices. Mais il accordait une grande importance à la qualité des feuilles. Le thé, qui était alors connu sous de nombreuses désignations, prit le nom unique de *cha*.

Le premier apogée

Sous les dynasties Song (960-1279), l'art du thé atteignit son apogée. Selon une ancienne tradition, des produits particulièrement raffinés et de grande valeur provenant de chaque province étaient livrés à l'empereur en guise de tribut. C'est ainsi que, tous les ans, le thé du printemps arrivait des régions où il était cultivé. Le thé impérial était préparé de façon particulière et portait un nom spécial. Il ne revêtait pas de signification symbolique mais était réservé à l'empereur et à la cour.

Alors que, pendant la période Tang, les feuilles de thé étaient encore hachées, moulues puis compressées sous forme de tablettes, sous les dynasties Song, elles étaient étuvées, pilées puis compressées dans différents moules. Les galettes de thé rondes et ovales existaient en différents modèles. Les décors qui les enjolivaient représentaient un dragon ou un sphinx, symboles du couple impérial, ce qui était très apprécié.

Sous les Song, le thé fit de plus en plus d'adeptes. L'empereur Huizong dépensa des fortunes pour acheter du bon thé et rédigea un ouvrage sur le sujet. Sur une vingtaine de rouleaux de parchemin, il décrivit la manière de procéder avec les accessoires ainsi que les qualités de thé qu'il préférait. Il incita également le peuple à être méticuleux dans l'art de préparer le breuvage. En outre, il rédigea un traité portant sur plus d'une vingtaine de variétés, qu'il considérait comme les plus nobles. Huizong était peintre et calligraphe. Il peignait des motifs en rapport avec le thé, auxquels il joignait des poèmes.

Le thé devient une boisson populaire

Dès lors, la consommation du thé ne fut plus exclusivement réservée aux membres de la famille impériale. On se mit à pratiquer l'art du thé dans tout le pays. La « joute du thé », précurseur des concours de thé qui existent encore aujourd'hui, était un jeu populaire. Il consistait à envelopper un morceau de brique de thé dans du papier blanc et à le briser en morceaux avant de le couper finement avec un couteau à thé et de le piler dans un mortier. La poudre passait ensuite dans un tamis. Plus elle était fine, plus elle pouvait « flotter » sur l'eau et former des « fleurs ». Puis on la transvasait dans un bol préchauffé et on la mélangeait avec un peu d'eau chaude pour la transformer en pâte. C'est alors qu'intervenait un procédé que l'on appelait le «goutte à goutte ». On versait dessus des gouttes d'eau à intervalles brefs et l'on battait la pâte avec un fouet.

Un jury choisi veillait à la couleur et à l'uniformité de la « fleur ». Celle-ci devait être de couleur blanche. En outre, on observait combien de temps la poudre de thé restait collée sur les bords du bol. Plus longtemps elle tenait, meilleure était l'évaluation du jury.

Le fouet en bambou fait partie intégrante de la cérémonie traditionnelle du thé au Japon. Il sert à remuer le thé ou à le battre.

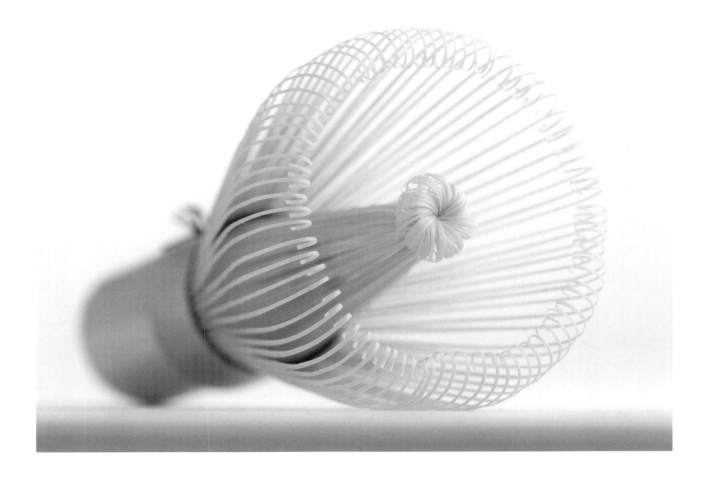

Sous la dynastie Yuan (1271-1368), les Mongols réussirent à conquérir la Chine. Le thé pilé disparut et le thé en feuilles fut de plus en plus apprécié. Apparut alors la méthode de préparation du thé vert, encore employée aujourd'hui, qui consiste à l'étuver.

Les nouveaux procédés de fabrication

Avant la dynastie Ming, on ne fabriquait que du thé vert. C'est seulement lorsque le thé dut résister aux longs voyages que les paysans chinois mirent au point le thé noir fermenté. Pendant la période Ming (1368-1644), la Chine connut une nouvelle phase d'apogée culturel. On mit au point d'autres procédés de fabrication du thé. Les feuilles étaient séchées au soleil ou torréfiées dans une poêle.

Le développement de la céramique

Le nouvel art de la préparation du thé eut des répercussions sur les ustensiles nécessaires. Alors que l'on faisait autrefois bouillir le thé dans un pot ou dans une marmite, on le fit désormais infuser dans une tasse à couvercle ou dans une théière dans laquelle on versait directement l'eau chaude. La théière compta dès lors

Les modifications apportées à la préparation du thé se manifestèrent également dans l'utilisation de la céramique. Dans la tasse à couvercle, le thé sur lequel on versait de l'eau chaude infusait directement.

parmi les ustensiles les plus importants pour la préparation du thé. Les céramiques cuites de la région de Yixing constituèrent les premières petites théières. Les gisements de glaise de cette région fournirent la matière première indispensable à la fabrication de céramiques à thé de qualité unique. Celles-ci acquirent rapidement une grande renommée. La terre glaise que l'on ne trouve en Chine que dans cette région peut être de trois couleurs différentes : rouge, brun-violet et ocre.

Les mélanges ainsi que les différentes températures de cuisson permirent d'obtenir de nombreux dégradés de couleurs. Les théières fabriquées à la main se distinguent par leurs ornements, les calligraphies peintes et leurs décorations naturalistes. La ville de Yixing, avec ses nombreux ateliers, fait encore aujourd'hui le bonheur des amateurs de thé. À Yixing même, on ne buvait pas dans des bols ou dans des verres, mais à même les théières, qui étaient petites et délicates. Un seul ustensile était ainsi nécessaire. Les théières devaient toujours être petites car, lorsqu'elles étaient trop grandes, l'arôme se dissipait vite.

La cérémonie du thé, qui était jusqu'alors célébrée dans les monastères, fut bientôt pratiquée dans la société civile. On avait chez soi un petit autel à thé et l'on allumait des bâtons d'encens pour purifier l'air avant de boire le breuvage.

Sous la dynastie Qing (1644-1911), le thé partit à la conquête du monde. L'histoire suivante raconte comment, à cette époque, furent mises au point les méthodes de fabrication du thé noir. Pendant la guerre de l'Opium, les troupes étrangères occupaient une manufacture de thé et l'utilisaient pour entreposer leur ravitaillement. Dans le hall étaient entassées des feuilles de thé fraîchement récoltées auxquelles personne ne prêta attention. Les feuilles de thé commençant à fermenter, une forte odeur se répandit. Les soldats permirent enfin au paysan de vérifier son thé, qu'il décida de mettre en vente malgré son état. Celui-ci se vendit en très peu de temps.

Le thé conquiert le Japon

Les Chinois eurent le monopole du thé jusqu'à ce que des moines bouddhistes importent cette marchandise au Japon entre 520 et 800 apr. J.-C. On suppose que les moines zen firent de la contrebande avec les feuilles de thé en les dissimulant sous leurs vêtements amples.

Selon d'autres sources, les moines Saicho et Kukai apportèrent les premières graines de thé au Japon en 801 apr. J.-C. Le breuvage servit d'abord de remède. Dans les monastères, les moines l'employaient pour stimuler la méditation. Cette denrée précieuse resta d'abord le privilège de la famille impériale et des classes supérieures de la société. Les jardins de thé impériaux étaient ceints de hauts murs et très surveillés. À partir du XII⁰ siècle, le thé commença également à être consommé par le peuple.

En 1211, le moine bouddhiste japonais Eisai (1141-1215), qui avait vécu quelques années en Chine, rédigea un ouvrage en deux volumes intitulé *Kissayojoki*. Il y décrivit le thé comme un facteur de longévité : « Le thé est un véritable moyen curatif, un remède miracle pour protéger la vie et la prolonger. »

En 1262, le prêtre Eison (1201-1290) apporta du thé en offrande à Nara. Celle-ci est encore renouvelée aujourd'hui. Il la dédia aux pauvres et aux malades.

Au XIV⁰ siècle, ce breuvage devint le symbole de la noblesse d'épée. Des concours de thé de grande envergure eurent lieu dans des salles somptueuses ornées d'objets précieux. Des milliers d'hôtes prenaient part à des dégustations de différentes variétés de thé. Au cours de manifestations grandioses, ceux qui parvenaient à reconnaître les variétés se voyaient décerner des prix.

Le développement le plus important de la cérémonie du thé *(chanoyu)* correspond à la Voie du thé *(chao)* liée au zen et au taoïsme : c'est l'enseignement de la Voie du thé. Murata Shuko (1422-1503), Takeno Joo (1504-1555) et Sen no Rikyu (1522-1591) sont les trois principaux fondateurs de ce rituel. L'art du thé fut désormais considéré comme un chemin initiatique

permettant de se développer sur le plan intellectuel et spirituel. La cérémonie du thé n'est pas un spectacle esthétique.

Murata Shuko était originaire de Nara. Il se rendit plus tard à Kyoto dans un monastère bouddhiste et étudia le bouddhisme zen. Sa rencontre avec le célèbre maître zen, Ikkyu (1394-1481) fut déterminante. Ce dernier organisait régulièrement des salons où se réunissaient intellectuels, artistes, écrivains, poètes, peintres et acteurs de No. Le plus grand mérite de Shuko fut d'associer le thé au zen. C'est ainsi qu'il fut le premier à accrocher des rouleaux de parchemin de maîtres zen importants dans l'alcôve *(tokonoma)* située dans la pièce du thé, à la place des illustrations courantes. Il proposait une méditation sur les aspects simples et essentiels de la vie quotidienne, un regard vers l'intérieur. On lui doit également la première

Au Japon, le thé est issu d'une longue tradition. En 1211, le moine bouddhiste Eisai, décrivait le thé comme étant « un remède qui favorisait la longévité ».

décoration d'une pièce consacrée au thé. Avec Shuko, cet espace était plus petit et orné avec sobriété. Il préférait la beauté des matériaux et des objets simples et mettait au premier plan la réunion dans un contexte harmonieux des hôtes et de leurs invités. C'est le début de ce qu'on appelle le style *wabi* ou *sabi* : la découverte de la beauté dans la simplicité, la solitude et la pauvreté et donc le renoncement conscient au luxe et au confort, l'aspiration à une autodiscipline et à l'humilité.

Ces idées furent développées par Takeno Joo. Avant d'entrer en contact avec le *chado*, Takeno Joo était un poète reconnu. Il étudiait la Voie du thé de l'école de Shuko (auprès des élèves de Shuko). Il conserva le style rigoureux de l'art du thé selon la tradition ancienne, mais la simplicité et la modestie du nouveau style *wabi* comptaient beaucoup pour lui. Le dénuement des apparences était étroitement lié au choix d'objets et d'ustensiles rustiques et sans fioritures. Takeno Joo défendit lui aussi le principe qui consistait à réduire l'espace de la pièce du thé. Il accordait une grande importance à l'aménagement du jardin dans la perspective d'un univers spirituel coupé du monde –

« cabane d'ermite dans une grande ville » – ce qu'on appelle le pavillon de thé.

Avec Sen no Rikyu, la Voie du thé connut son apogée au sens éthique et esthétique. Ce dernier est considéré comme le plus grand maître de thé de son époque. À 19 ans déjà il fut instruit dans l'art du thé par Takeno Joo et étudia le zen. Il fut maître de thé auprès de Nobunaga, le plus puissant seigneur féodal de son temps, et poursuivit son activité auprès de Hideyoshi, successeur de Nobunaga. Rikyu préférait les ustensiles japonais aux objets chinois. Avec la poterie Raku, fut mise au point une nouvelle céramique du thé fabriquée à la main et émaillée de rouge ou de noir comme le jais, sans ornement, qui correspondait à sa représentation du style *wabi*. Mais en raison d'intrigues politiques, Rikyu fut finalement contraint au *seppuku* et donc de se donner la mort. Toutefois, sa conception de la Voie du thé fut transmise de génération en génération par ses successeurs et ses disciples. On assista, à cette époque, au développement de plusieurs écoles qui subsistent aujourd'hui encore. L'une des plus importantes est l'école Urasenke. Le maître actuel, Sen Soshitsu est un descendant de Rikyu de la seizième génération.

Cérémonie du charbon de bois : au début de la préparation du thé, on dispose du charbon de bois frais sur le feu.

Le chemin de l'Europe

À partir du XVIᵉ siècle, les connaissances portant sur la culture et les effets du thé gagnèrent l'Europe par l'intermédiaire des missionnaires chrétiens et des marins. Le commerce du thé commença lorsque les marchands hollandais importèrent cette marchandise à Amsterdam en 1610. C'est sans doute de là que provient le terme « Orange » dérivée de *Oranje*. La désignation chinoise du thé fut reprise par les Européens. Le thé vert fut le premier à être introduit sur le continent européen. Depuis la Hollande, le commerce du thé s'étendit rapidement vers l'Italie, la France, l'Allemagne et le Portugal. Il gagna la Russie par l'intermédiaire des caravanes qui parcouraient la route de la Soie. Là, il fut appelé *cha*.

Avec l'importation du thé, de la porcelaine chinoise précieuse arriva sur le marché européen.

Les premières tasses à thé européennes ne comportaient pas d'anse, comme c'est encore le cas au Japon et en Chine.

Allemagne

Le thé fut mentionné pour la première fois en Allemagne vers 1650. Le médecin néerlandais Cornelius Bontekoe, alias Dekker, médecin personnel du Grand Électeur Frédéric-Guillaume de Brandebourg, aurait instauré le rituel social du thé en Allemagne.

En raison de son prix élevé, ce breuvage fut d'abord réservé à la noblesse et aux personnes fortunées. Il servait de remède contre les ballonnements, les indigestions et la goutte. Bontekoe conseillait par exemple d'en boire jusqu'à cent tasses par jour. À la fin du XVIIIᵉ siècle et au début du XIXᵉ siècle, on participait au « thé de compagnie » ou aux « tables de thé littéraires ». Les invi-

Le service à thé en porcelaine de Chine est très renommé et convoité par les amateurs de thé.

tations du poète Johann Wolfgang von Goethe à ce qu'il appelait son « grand thé » étaient très appréciées. Johanna Schopenhauer, veuve du philosophe Arthur Schopenhauer, organisait des tables de thé. Ludwig Tieck, Christoph Martin Wieland, les frères Friedrich et August Wilhelm Schlegel ainsi que le prince Pückler comptèrent parmi les célèbres personnalités dont elle s'entourait. Lors de ces rencontres, à l'occasion desquelles on organisait des discussions et des conférences, on jouait également de la musique et on dessinait. Au début du xxᵉ siècle, le thé devint accessible aux gens simples. Dans les années 1930, la mode du thé de cinq heures s'imposa.

Frise-Orientale

La Frise-Orientale – qui fut un temps rattachée à la France par Napoléon Iᵉʳ – est considérée comme un pays grand consommateur de thé. Peu après que les Hollandais eurent introduit cette boisson venue d'Asie, les habitants de la Frise-Orientale qui y ajoutaient un peu de rhum décrétèrent que c'était leur breuvage favori. Ils commencèrent à l'importer directement en 1753. Ce goût pour le thé s'explique par la

Le thé est le breuvage favori des habitants de la Frise-Orientale. C'est la boisson traditionnelle depuis 1753.

qualité de leur eau, qui était très mauvaise à cette époque, de sorte qu'elle ne pouvait être consommée qu'une fois bouillie.

Le roi Frédéric II le Grand voulut interdire le thé en Frise-Orientale. Dans son communiqué datant de 1777, il expliqua que les Frisons sirotaient le thé « en quantités barbares », de sorte que cette boisson nuisait à la santé et qu'elle devait donc être interdite. En outre, il prétendait que le thé incitait les hommes et les femmes à rester plusieurs heures par jour assis à ne rien faire. Mais les Frisons s'opposèrent à Frédéric II et l'interdiction n'entra jamais en vigueur. Finalement, le thé fut officiellement autorisé.

En 1906 fut fondée la Ostfriesische Teegesellschaft (OTG). Dans la ville allemande de Norden, un musée est consacré à cette culture du thé. L'exposition offre un aperçu des différents domaines de la vie dans lesquels la dégustation du thé tenait une place importante.

Angleterre

C'est grâce aux Hollandais, qui importèrent le thé en Angleterre, qu'il y devint le breuvage national tel qu'on le connaît encore aujourd'hui.

Le rituel du thé fut introduit à la cour par l'infante portugaise, Catherine de Bragance, épouse de Charles II d'Angleterre. Ayant apporté en guise de dot une caisse du meilleur thé de Chine en Angleterre, la princesse initia la société aristocratique à l'art du thé.

En 1669, les Anglais se lancèrent dans le commerce du thé. À partir de ce moment, les importations de cette marchandise se firent par l'intermédiaire de l'East India Company (Compagnie des Indes orientales) qui en conserva le monopole jusqu'en 1833.

Le commerce avec la Chine était soumis à des règles très strictes. Les étrangers devaient conclure leurs marchés dans un des cinq ports dans lesquels ils avaient la permission d'accoster. Le thé importé de Chine fut d'abord payé en pièces d'argent. Le commerce du troc apparut ultérieurement et l'on échangeait alors de l'opium contre du thé, ce qui aboutit à la guerre de l'Opium parce que le gouvernement chinois voulut stopper l'importation de l'opium anglais. Pendant cette guerre, Hong-Kong tomba sous la domination des Anglais. L'Angleterre possédait désormais des colonies dans lesquelles les théiers étaient cultivés avec succès. Grâce au trafic clan-

Même éloignés des salons de thé londoniens raffinés, les Anglais restaient fidèles à la tradition du thé de cinq heures. Ci-dessous, une scène en Inde datant de 1910-1930.

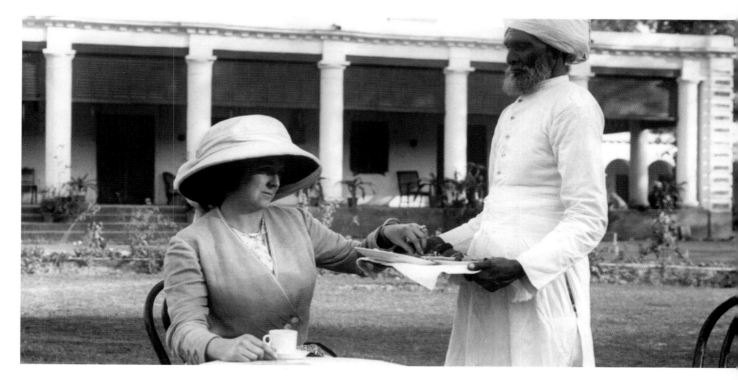

Pacifique et la côte anglaise était soumise à des règles bien précises que les capitaines des bateaux devaient respecter. Les courses *(Tea Races)* organisées par les sociétés de thé anglaises à chaque nouvelle saison sont légendaires. Le capitaine qui, le premier, après un long voyage maritime, mettait le pied sur le continent avec un chargement frais était largement rétribué.

L'ouverture du canal de Suez en 1868 donna accès à l'Inde par la voie maritime. En moins de cent jours, des quantités de plus en plus colossales de thé furent déchargées dans Mincing Lane. Aujourd'hui ont encore lieu ici les bourses du thé londoniennes et on y trouve également les entrepôts des importateurs de thé. Très vite, il devint courant de consommer du thé et ce produit valait bien d'être taxé.

France

Le thé fut d'abord vendu en France pour servir de remède. Toutefois le corps médical considérait qu'il était inefficace.

Aujourd'hui, il fait bon faire une pause dans les salons de thé des grandes villes. Ils constituent une alternative aux bistrots dans lesquels les clients s'arrêtent quelques minutes, le temps d'avaler un café au comptoir.

Russie

Au milieu du XVIIᵉ siècle, 200 paquets de thé parvinrent de Mongolie, par voie terrestre, au tsar Michel Iᵉʳ à l'occasion de son anniversaire. Les caravanes prirent la route à Pékin et traversèrent le désert de Gobi puis la Sibérie jusqu'à la Volga. On instaura dès lors un commerce du thé intense entre la Chine et la Russie. Pendant les mois d'été, les caravanes de chameaux étaient probablement très nombreuses. On prétendait que ce mode de transport était préférable au transport par voie maritime, car le thé était alors entreposé dans des endroits humides, goudronnés, aux odeurs désagréables.

Lorsqu'une nouvelle voie ferrée fut construite en Russie, en 1880, on put progressivement abandonner les livraisons de thé par caravanes.

Réclame française pour le thé et le chocolat, XIXᵉ siècle.

destin d'un botaniste, les Anglais apprirent comment faire fermenter le thé vert afin qu'il se transforme en thé noir, lequel était particulièrement apprécié en Europe. Avec des capitaux anglais, on administra aux XVIIIᵉ et XIXᵉ siècles de grandes plantations de thé dans les colonies. Plus l'Angleterre parvenait à préserver la fraîcheur du thé, plus celui-ci était aromatique. Il pouvait alors être vendu aux enchères. La première vente aux enchères eut lieu en 1834 dans Mincing Lane, une petite rue de Londres, jusqu'alors inconnue. La distance à parcourir entre le

Dans le Nouveau Monde

Vers 1650, les marchands hollandais importèrent le thé vers la Nouvelle-Amsterdam, l'actuelle ville de New York. Pour permettre aux habitants d'apprécier la consommation du thé, des chargements d'eau douce traversaient la ville. Autrefois, seul le thé vert agrémenté d'épices était consommé. Le breuvage fut très vite apprécié de sorte que l'on instaura des *tea-parties*.

Le thé est d'une certaine manière associé au début de la guerre d'Indépendance. Le gouvernement britannique commença, en 1765, à exiger la participation aux dépenses de guerre de ses colonies du Nouveau Monde. Puis, en 1767, le parlement anglais décréta un certain nombre de taxes sur les marchandises livrées dans les ports américains, notamment sur des produits comme l'huile ou le thé. Les colons boycottèrent alors les produits anglais, et particulièrement le thé vendu par la Compagnie des Indes orientales. En 1773, face aux difficultés financières de celle-ci, le gouvernement britannique vota le *Tea Act* autorisant la Compagnie à vendre le thé exempt de taxes, c'est-à-dire moins cher que les autres importateurs. Le mécontentement des colons ne fit que s'accentuer. Le 16 décembre 1773, les membres d'une loge de franc-maçonnerie déguisés en Indiens attaquèrent trois bateaux dans le port de Boston et jetèrent à la mer plus de 300 caisses de thé importées, pour protester contre la taxe sur le thé. Cet événement historique connu sous le nom de *Boston Tea Party* était l'un des prémices de la guerre d'Indépendance de l'Amérique.

En 1844, l'Amérique signa un contrat commercial sino-américain. L'Amérique put dès lors s'alimenter en thé indépendamment de la Grande-Bretagne.

Représentation historique de la Boston Tea Party : le 16 décembre 1773, des francs-maçons habillés en Indiens capturèrent trois bateaux britanniques et jetèrent tout le chargement de thé par-dessus bord.

Culture et récolte

Les plantations de thé s'étendent souvent en terrasses sur des coteaux raides. Le travail dans les plantations est harassant et parfois dangereux.

Les méthodes de culture et de traitement du thé déterminent sa qualité et son goût. La région, l'altitude et le climat influent sur le caractère des différentes variétés. Les températures douces qui se situent entre 18 et 28 °C constituent les meilleures conditions de croissance à condition qu'il y ait aussi suffisamment de soleil. Si, pour obtenir une bonne qualité de thé, il faut le récolter manuellement, les machines ont toutefois fait leur entrée dans les plantations. La période de la cueillette varie selon les régions.

Le théier

Les théiers font partie de la famille des camélias et deux variétés différentes étaient cultivées à l'origine : *Camellia sinensis* (nom botanique) est une plante à petites feuilles, très résistante au froid, qui pousse en altitude. Si elle n'est pas émondée, elle peut atteindre trois à quatre mètres de hauteur. Le petit arbre découvert dans la région de l'Assam en 1830, qui porte le nom botanique *Camellia sinensis* var. *assamica*, est une plante tropicale qui a besoin de beaucoup de chaleur. S'il n'est pas taillé, ce théier peut devenir un arbre imposant et atteindre 15 à 20 mètres de hauteur. Dans le monde, de nombreux hybrides sont issus de ces deux plantes.

La feuille du théier est persistante, brillante et recouverte d'un fin duvet lorsqu'elle est jeune. Les fleurs sont blanches ou dans les tons de rose et ne servent pas aux infusions ni même à la préparation de ce qu'on appelle le blooming thé (à base de jasmin, par exemple). Les fruits oléagineux ne sont pas employés non plus. Dans certains cas, on en extrait de l'huile. La culture du théier est pratiquée dans les régions tropicales et subtropicales à une altitude de 600 à 2 800 mètres.

Multiplication et taille

Le théier peut être multiplié de différentes manières. À l'origine, la multiplication s'effectuait par semis ou marcottage, tandis qu'aujourd'hui on pratique davantage le bouturage de variétés que l'on a préalablement choisies. La première taille a lieu au bout d'un an et permet au théier de pousser en largeur. Les plantes sont ainsi taillées régulièrement pendant trois ans pour leur permettre d'adopter leur forme défi-

Le thé dans toute sa splendeur. Cette plante luxuriante présente un épais feuillage persistant.

Le Camellia sinensis est un arbuste à petites feuilles, très résistant au froid qui pousse en altitude.

nitive. On peut alors pratiquer la première récolte. La forme large de l'arbuste facilite le travail des cueilleuses de thé car les feuilles les plus hautes sont à portée de leurs mains.

Cueillette du thé

La cueillette du thé est souvent un travail exigeant. Autrefois, lorsque le thé était un breuvage impérial, la cueillette se pratiquait principalement sur des théiers sauvages. En Chine, on a même tenté de faire participer les

La cueillette du thé est souvent un labeur exigeant qui est généralement réservé aux femmes. Celles-ci récoltent en temps normal entre 30 et 35 kilos par jour.

s'écouler de manière régulière. La quatrième feuille est mise à part seulement lors de la fabrication du thé, ce qui permet aux deux feuilles et à la pousse de rester fraîches jusqu'à la prochaine étape de traitement.

Amélioration des conditions de travail

Aujourd'hui comme autrefois, les personnes qui travaillent dans les plantations de thé profitent rarement de leur dur labeur. Cependant, des conventions ont été signées par des organisations des différents pays, producteurs et consommateurs de thé, afin d'améliorer les conditions de vie des cueilleuses et de ceux qui travaillent dans les manufactures. Ainsi a été favorisée l'instauration de programmes de formation et de santé, de même que la mise en place de projets de construction de logements. La région de Darjeeling (Darjiling), au Bengale-Occidental, compte une centaine de jardins de thé. Chacun d'eux est organisé comme un petit village, accueillant les employés et leurs familles. Ils comportent des habitations, des hôpitaux, des crèches et des écoles. Les prestations proposées par ces institutions sociales sont gratuites pour les familles des salariés.

Périodes de récolte

Les thés indiens et particulièrement ceux qui proviennent des plantations de Darjeeling ne sont récoltés que quatre fois par an.

First Flush : la récolte a lieu de mars à la mi-avril.
In between : le thé relativement aromatique est récolté entre avril et la mi-mai.
Second Flush : l'arôme de ce thé cueilli entre mai et juin est fort et épicé.
Autumnal : le thé récolté en octobre et novembre ne compte pas parmi les thés de grande qualité, mais son arôme est doux et plein en bouche.
Dans d'autres régions, et en fonction des conditions climatiques, le thé est récolté toute l'année, notamment au Sri Lanka (Ceylan) ou à Sumatra.

singes parce qu'il était difficile d'atteindre les pousses fraîches avec des échelles sur les coteaux montagneux. Aujourd'hui encore, les paysans utilisent des embarcations pour gagner les îles des lacs montagneux afin de cueillir le thé sauvage. Ce type de thé est particulièrement précieux car on n'en récolte pas plus de 40 à 80 kilos par an.

Dans les régions traditionnelles de plantation de thé, les feuilles sont cueillies à la main à différents stades pendant la saison. Cette méthode exigeante permet de trier les fleurs et les pousses selon leur degré de maturité. Les cueilleuses expérimentées peuvent récolter entre 30 et 35 kilos de thé frais par jour.

Pour certaines variétés de thé noble, on cueille quatre feuilles au lieu de trois (un bourgeon et deux feuilles). Dans ce cas, on veille bien à ne pas abîmer la tige des feuilles. L'eau peut ainsi

Les cueilleuses récoltent le très renommé thé Darjeeling. La célèbre région de culture du thé est située en Inde, sur les contreforts sud de l'Himalaya.

Traitement et tri

Production du thé vert

Les thés verts de bonne qualité résultent d'une cueillette manuelle méticuleuse ainsi que d'un traitement manuel. Dans cette méthode traditionnelle chinoise, on utilise des poêles en fer que l'on pose sur le feu pour le flétrissage des feuilles. Cette étape permet de libérer l'enzyme contenue dans les cellules responsable de l'oxydation de la feuille et donc de leur fermentation. Puis on met les feuilles à sécher par petites poignées, le plus souvent à l'air libre. Pendant le séchage, on les assouplit continuellement et on les retourne. Entre-temps, elles sont également pétries plusieurs fois à la main. Les feuilles adoptent progressivement leur couleur vert foncé définitive. Puis elles sont triées en fonction de leur taille.

Dans le cadre des méthodes de traitement plus modernes, les feuilles sont brièvement exposées à l'air chaud. On distingue alors deux procédés pour empêcher le processus de fermentation.

Steaming tea et panroasting tea

Le *steaming tea* (thé passé à la vapeur) est une méthode employée au Japon et dans les provinces de Zhejian et d'Anhui du Sud de la Chine. Pour empêcher la fermentation, la feuille fraîchement cueillie est brièvement passée à la vapeur d'eau chaude ou plongée dans un bain d'eau bouillante.

Les amateurs de thé sont de plus en plus nombreux. Pour empêcher la feuille de fermenter, on l'expose brièvement à la chaleur.

La fermentation est suivie de plusieurs étapes de traitement que l'on effectue manuellement. Ici, on examine et on trie le thé.

Dans le cas du *panroasting tea* (thé sauté à la poêle), les feuilles sont exposées brièvement à la chaleur sur d'immenses plaques de tôle rondes. Ce processus empêche la fermentation. Après cette phase, que l'on appelle flétrissage, les feuilles sont étalées sur de grandes plaques de tôle et roulées. Puis on les fait sauter dans un grand tambour qui contient plusieurs tiges. Par la rotation permanente du tambour avec un flux d'air chaud à environ 90 °C, les cellules végétales éliminent l'eau qu'elles contiennent. Au cours de cette étape, la feuille perd la plus grande partie de son poids. Le roulage suivi du passage à la poêle est renouvelé plusieurs fois en fonction de la qualité du thé. Les feuilles sont ensuite triées. Tandis que pour les variétés simples, le criblage s'effectue mécaniquement, les variétés de grande qualité sont triées à la main.

Production du thé noir

La production classique (orthodoxe) des feuilles de thé noir s'opère en quatre phases : 1. le flétrissage ; 2. le roulage ; 3. la fermentation 4. la dessiccation aussi appelée torréfaction.

1. Le flétrissage : les feuilles fraîchement cueillies sont étalées sur de longs treillis métalliques et des ventilateurs d'air chaud accélèrent le processus de flétrissage. Les feuilles perdent environ 30 % de leur humidité et sont assouplies en perspective de la prochaine étape.

2. Le roulage : après avoir été flétries, les feuilles encore vertes sont roulées. Dans des machines simples, deux plaques métalliques s'activent l'une contre l'autre. Les feuilles sont déchirées, écrasées et coupées de manière homogène de sorte que le suc puisse se combiner à l'oxygène de l'air.

3. La fermentation : les feuilles roulées sont étalées sur des tables pour la fermentation et

conservées à l'humidité. Ce procédé dure entre deux et trois heures. L'oxygène de l'air se combine au suc des feuilles. La couleur verte des feuilles de thé devient rouge cuivré ou brun foncé. Les cellules s'ouvrent continuellement, tandis que le suc et les substances aromatiques continuent de se libérer.

4. La dessiccation (que l'on appelle aussi la torréfaction) : après la fermentation, les feuilles sont mises à sécher à l'air chaud (85 °C) pendant une vingtaine de minutes.

Après la dessiccation, on procède au criblage des feuilles de thé en les introduisant dans un appareil appelé extracteur. Là, les feuilles entières, les feuilles brisées et les plus petites particules des feuilles sont séparées. Le criblage des thés de grande qualité s'effectue manuellement et l'on ôte ainsi les tiges et les fibres.

La méthode qui consiste à exposer les feuilles à la chaleur de la vapeur d'eau provient du Japon. Elle est aujourd'hui expérimentée au Népal.

La méthode « orthodoxe » est le procédé classique de fabrication permettant d'obtenir du thé noir.

La méthode CTC

CTC est une abréviation de l'anglais *crushing* (broyage), *tearing* (déchiquetage) et *curling* (bouclage). Dans le cas de la production CTC, la feuille est d'abord flétrie, puis roulée une seule fois et enfin passée entre deux rouleaux qui tournent en sens opposés. Cette méthode permet de déchirer plus rapidement et plus en profondeur les parois cellulaires. Après trois ou quatre passages, la feuille réduite est fermentée. Cette méthode de fabrication mécanique ne donne pas de feuilles entières, très peu de Broken, mais surtout du Fannings et du Dust. Ce thé est souvent présenté en sachets.

La méthode LTP

LTP est l'abréviation de *Lawrie Tea Processor*, une machine moderne utilisée dans la méthode CTC qui porte le nom de son inventeur. Dans cette machine, les feuilles de thé sont finement hachées par la lame d'un couteau pivotant. De l'air froid est insufflé simultanément afin que les feuilles ne chauffent pas trop rapidement et pour éviter qu'elles ne soient exposées trop précocement au processus de fermentation. Puis les feuilles déchiquetées tombent automatiquement dans les pétrins où s'accomplira la fermentation. Ce type de production est réservé particulièrement au Fannings et au Dust pour la fabrication de sachets de thé.

*Cueilleuses dans la plantation de Dambatenne
à Haputale, au Sri Lanka. Ces jardins de thé
ont été plantés par sir Thomas Lipton.*

Criblage et grade des feuilles

Avant que le thé ne soit vendu aux enchères ou dégusté, il est trié manuellement ou à la machine selon les différents grades des feuilles. On utilise généralement pour le thé noir et le thé vert les feuilles entières, les feuilles brisées (Broken), et les feuilles broyées (Fannings et Dust). Ces termes correspondent exclusivement à la grosseur des particules des feuilles de thé et non à une qualité quelconque. Le thé à feuilles entières préserve mieux les substances aromatiques. Seul le thé noir bénéficie d'une classification reconnue.

Thés à feuilles entières

Flowery Orange Pekoe (FOP)

Ce thé provenant de la feuille avant qu'elle ne soit complètement mature est de grande valeur. L'infusion est claire et aromatique.

Golden Flowery Orange Pekoe (GFOP)

Terme désignant une feuille entière de Darjeeling avec des bourgeons et des jeunes feuilles.

Tippy Golden Flowery Orange Pekoe (TGFOP)

Excellente qualité du thé Darjeeling. Il possède une grande partie de « tips » (bourgeons terminaux).

Finest Tippy Golden Flowery Orange Pekoe (FTGFOP)

Ce thé de feuilles entières compte parmi les meilleurs et les plus onéreux. Il est composé en grande partie de tips et de bourgeons.

Orange Pekoe (OP)

Ce thé est fabriqué à partir des feuilles fines et roulées telle la pointe de la partie supérieure fine de la jeune pousse.

Souchong (S)

Ce thé est composé de grandes feuilles entières et régulières, roulées dans la longueur. Cette appellation est réservé à certains thés de Chine.

Pekoe Souchong (PS)

Issu d'une cueillette plus grossière, ce thé présente des feuilles plus courtes et plus épaisses.

La récolte de l'année (First flush) est particulièrement appréciée en raison de son goût doux et fleuri.

Thés à feuilles brisées

Broken

Thé résultant de feuilles brisées. Il est plus vigoureux que les feuilles entières. On reconnaît le Broken à l'attribution de la lettre B. Le Broken Orange Pekoe (POP) et le Flowery Broken Orange Pekoe (FBOP) comptent parmi ces thés.

Thés à feuilles broyées

Fannings

Le terme Fannings désigne les petites particules résultant de la réduction mécanique des feuilles. Le grade Orange Fannings (OF) est principalement soumis au procédé CTC.

Dust ou poussière

Dust (D) et Pekoe Dust (PD) correspondent au dernier criblage. Les tout petits morceaux de feuilles servent généralement à la fabrication de thés en sachets.

Petit lexique

Orange (O) signifie royal, noble.

Pekoe (P) vient du chinois et signifie duvet blanc.

Flowery (F) signifie fleuri. C'est ainsi que l'on nomme les thés fabriqués à partir de bourgeons terminaux.

Fluff est la désignation de poussière de thé. Elle est de couleur jaune et est aspirée lors de la production.

Golden (G) correspond à un thé composé de bourgeons terminaux (= « tip »)

Tip désigne les bourgeons terminaux qui, du fait de leur forte teneur en tanins, prennent une teinte claire en s'oxydant, ou qui ont des reflets argentés dus à leur duvet blanc.

Tippy est employé pour les thés ayant une teneur élevée en bourgeons terminaux (= « tip »).

Emballage et marquage

Autrefois, après criblage, le thé était emballé dans des caisses en bois. Celles-ci, dont l'intérieur était garni de feuilles de papier, sont aujourd'hui exclusivement employées pour les thés à grandes feuilles. Les variétés à petites feuilles sont acheminées dans des sacs en papier résistant.

Autrefois, les caisses de thé étaient recouvertes de papier et souvent peintes et laquées. Il s'agissait en partie d'illustrations artistiques que les entreprises utilisaient à des fins publicitaires. Aujourd'hui, les étiquetages correspondent à des modèles standard qui comportent les informations importantes : le pays d'origine, le grade de la feuille, le poids net et brut, et les informations concernant la cueillette et la période de récolte.

Sur les caisses sont indiqués le pays d'origine, le grade de la feuille, le poids, ainsi que les informations concernant la cueillette et la période de récolte.

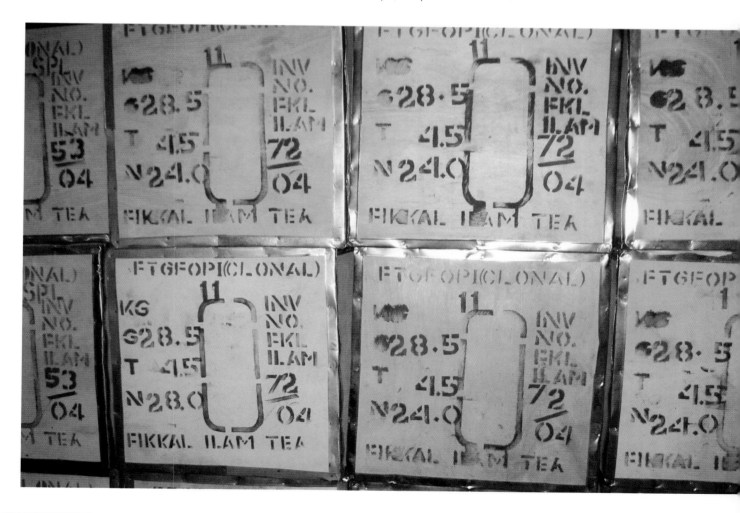

Ventes aux enchères

En Chine, les thés sont vendus à des prix fixes dans des lieux de vente publics. Partout ailleurs, dans les grands pays cultivateurs de théiers, la marchandise est vendue aux enchères. On trouve des salles des ventes notamment à Bombay pour le Nord de l'Inde, à Cochin pour le Sud de l'Inde et à Colombo pour le Sri Lanka. En Europe, les plus connues sont situées à Londres et à Amsterdam. Ceux qu'on appelle les *tea brokers*, c'est-à-dire les courtiers en thé, envoient aux importateurs des échantillons des thés destinés à être vendus aux enchères – ceux-ci doivent être préalablement testés par des dégustateurs. À partir des listes de thés jointes, comportant la désignation et le prix de mise aux enchères, la clientèle internationale peut signaler son intérêt pour certains thés et indiquer son enchère maximale.

Le « tea tasting »

Avant que le thé ne parvienne jusqu'au consommateur, il est testé et goûté de nombreuses fois dans la salle des ventes par le producteur et l'importateur.

Les *tea tasters* dégustent le thé proposé lors de la vente aux enchères et en évaluent la qualité. Après quoi, il pourra éventuellement être acheté. Les dégustateurs professionnels jugent de l'assortiment des différents vendeurs et composent des mélanges.

Ce que l'on évalue

Lors de la dégustation, on évalue la feuille sèche et la feuille infusée d'après leur aspect, leur couleur et leur odeur. La couleur de l'infusion, le parfum émanant du bol, de même que le caractère et le goût du thé sont également déterminants. On évalue aussi la première impression en

Lieu de travail d'un tea taster, dégustateur de thé. Celui-ci évalue la feuille sèche et infusée selon son aspect, sa couleur, son odeur et sa saveur.

bouche, l'arôme, le bouquet et l'arrière-goût. Un testeur professionnel peut déduire d'une infusion l'altitude de la plantation de théiers, la période de la récolte et les conditions climatiques. Ce métier nécessite une grande expérience et beaucoup de patience. Le dégustateur se doit de connaître les variétés de thé et leurs différentes nuances de goût.

La préparation

La dégustation suit toujours le même principe et elle est soumise à certaines règles : la vaisselle, la quantité de thé et le temps d'infusion sont identiques partout. On extrait la même quantité de chaque échantillon, soit généralement 2,86 grammes, le poids d'une pièce de six pence. Le thé est ensuite versé dans une tasse à couvercle et il est arrosé d'eau bouillante. Le temps d'infusion est de cinq minutes. Puis on

verse le thé par les encoches sur le pourtour de la tasse dans le bol. La tasse est ensuite retournée, laissant les feuilles infusées retomber dans le couvercle que l'on pose à l'envers sur la tasse. Les feuilles infusées sont également soumises à une évaluation de même que les feuilles sèches et l'infusion.

La dégustation

Il s'agit maintenant de voir et de sentir. Les feuilles sont examinées sous toutes les coutures : couleur, aspect, odeur et propreté. Puis on passe à l'évaluation de l'infusion et de l'arôme.

Le dégustateur savoure, goûte et crache. Le thé est dégusté soit à la cuillère, soit directement dans le bol. Comme dans le cas d'une dégustation de vin, le testeur garde en bouche une gorgée de thé pour la recracher ensuite.

Les dégustations de thé exigent une grande expérience et d'importantes connaissances. Un professionnel peut déduire d'une infusion l'altitude des jardins de thé, la période de la récolte et les conditions climatiques le jour de la cueillette.

Cet instant suffit pour évaluer tous les aspects importants de l'infusion. La description du thé emploie des termes tels que fleuri, fruité, malté, aromatique. Il n'existe pas toutefois de désignations internationales unifiées et elles se contredisent même parfois. Voici quelques expressions connues.

Expressions choisies

Concernant la feuille sèche

Attractive
Désigne une feuille sèche uniforme en couleur et en forme.

Blend
Terme anglais signifiant mélange.

Bold
En bref, ce terme signifie que la feuille ne correspond pas aux grades de criblage.

Brownish
Désignation d'une feuille de couleur brunâtre résultant d'une dessiccation à trop haute température.

Choppy
Feuille réduite à la coupe.

Clean
La feuille est propre, sans tige et sans particules de poussière, aucune impureté.

Colour
Décrit la couleur de la feuille.

Crepy
Désigne une feuille d'apparence plissée.

Curly
Désigne une feuille d'apparence bouclée.

Even
Feuilles ou morceaux de feuille homogènes.

Flowery
Ce terme désigne la feuille tendre et jeune.

Gritty
Feuilles dures au toucher.

Irregular
Pas de grade homogène.

Melange
Désigne un mélange de thé.

Milled
Feuille passée au travers de la « meule ».

Well twisted
Il s'agit d'une feuille bien roulée.

Concernant la feuille humide

Arôme
Désigne le parfum de la feuille après infusion.

Bright
Désigne la couleur brillante et nette de la feuille.

Dark
Désigne la couleur sombre de la feuille.

Les dégustateurs effectuent des tests dans des laboratoires conçus à cet effet : ils voient, sentent, savourent, dégustent et recrachent l'infusion.

Even
Les feuilles sont homogènes en forme et en couleur.

Green
Désigne une couleur verte résultant d'un flétrissage, d'un roulage ou d'un processus de fermentation trop court.

Mixed
Signifie mélangé et désigne une couleur variable des feuilles ou un mélange constitué de différentes variétés. Cela peut également signifier que le mélange est trop hétérogène.

La liqueur

Body
Désigne un thé charnu possédant bonne constitution et force.

Bright
Désigne une couleur claire et vivante.

Clean
Ce terme signifie que la liqueur est propre et sans arrière-goût déplaisant.

Coarse
Goût rude et déplaisant.

Contamination
Terme désignant un goût et une couleur préjudiciables.

Dry
Goût sec résultant d'une phase de dessiccation trop longue.

Earthy
Parfum terreux et frais.

Fruity
Désigne un goût fruité déplaisant résultant d'une contamination bactérienne.

Hard
Goût dur et amer.

Malty
Terme signifiant que la liqueur a une note maltée.

Mouldy
Désigne un goût de moisi.

Scorched
Désigne un goût sec.

Smokey
Goût fumé résultant d'une dessiccation dans une machine non hermétique.

Thin, weak
Infusion faible.

Toasty
Couleur due à une dessiccation trop vive.

Fleuri, malté, fruité, aromatique – les évaluations des dégustateurs de thé sont considérées comme des labels de qualité et des distinctions.

Culture du thé dans le monde

Le thé vert et le thé noir sont surtout produits en Asie et en Afrique, mais l'on rencontre aussi des plantations en Australie et aux confins de l'Europe, aux Açores et en Turquie.

Asie

Chine

Dans la patrie du thé, on cultive la plante dans les provinces du centre et du sud, parmi lesquelles les provinces d'Anhui, de Fujian, du Guangdong, de Guanxi Zhuang, du Guizhou, du Hainan Dao, du Henan, de Hebei, du Hunan, du Jiangsu, de Jiangxi, du Shaanxi, du Sichuan et du Yunnan. Les meilleures variétés de théiers poussent entre 1 000 et 2 500 mètres d'altitude. Plusieurs centaines de jardins tribut, souvent liés à la tradition des moines bouddhistes, se situent dans les provinces du Sud de la Chine. Le thé que cueilli ici était autrefois destiné à l'empereur et à sa cour. Le thé tribut ne pouvait alors être cueilli que par des jeunes vierges habillées de blanc et fraîchement lavées qui portaient des corbeilles d'or, sous la surveillance des domestiques de l'empereur. Il s'agissait de couper le bourgeon et éventuellement la feuille la plus haute avec des ciseaux. On veillait avec soin à ce qu'aucun simple mortel ne vienne salir le thé en le regardant ou en le touchant de manière « indigne ».

Le thé vert constitue la plus grande partie de la production chinoise. Le thé noir, qui se distingue par un goût très aromatique et doux, est destiné presque exclusivement à l'exportation.

Taiwan

On cultive le théier à Taiwan depuis 1870. Les thés oolong semi-fermentés constituent la spécialité de cette île, qui est économiquement et politiquement indépendante de la Chine. Leur goût se situe entre le thé vert et le thé noir. La première cueillette commence traditionnellement le 20 avril et atteint son apogée le 6 mai.

Feuilles de thé fraîchement cueillies provenant d'une plantation de Kandy au Sri Lanka, l'une des principales régions de culture du théier.

Le thé noir est surtout fabriqué dans la région du lac Sun Moon. Le Sencha et le Gunpowder sont les principales variétés de thé vert.

Japon

D'après les informations qu'il communique, le Japon ne produit que du thé vert. Au sud de l'île de Hondo, comme sur les îles de Shikoku et de Kiushu se trouvent les plantations qui bénéficient des meilleures conditions climatiques. Le Japon importe donc du thé noir pour sa consommation propre. Le thé le plus renommé du pays vient de Udi près de Tokyo, dans la province de Shizuoka.

Inde

L'Inde cultive le théier depuis le milieu du XIXᵉ siècle. Aujourd'hui, la production indienne est évaluée à un tiers de la production mondiale.

Assam

Dans la province de l'Assam, État fédéral situé dans le Nord-Est de l'Inde, on a découvert le théier que l'on appelle *Camellia sinensis* var. *assamica*. La haute vallée qui s'étend des deux côtés du fleuve Brahmapoutre constitue la plus grande région de culture de théiers du monde. La première récolte commence en février avec le First flush. Ce thé a un goût parfumé, frais et fleuri et une couleur claire, jaune d'or. Les meilleurs thés sont fabriqués à partir de la récolte qui a lieu entre mai et fin juin (Second flush).

Darjeeling

La culture du théier à Darjeeling, ville du Nord de l'Inde, a commencé vers 1860. Le docteur Campbell, officier du service de santé puis gardien-chef basé ici, planta des graines de thé sur son terrain. Après des expériences réussies, le gouvernement britannique décida en 1847 d'installer des écoles de thé dans la région. Tukvar, Steinthal et Aloobari furent les premiers jardins de thé. La plus célèbre région de culture du théier en Inde se situe sur les contreforts de l'Himalaya. Comme dans la haute vallée de l'Assam, les théiers bénéficient de conditions climatiques idéales. Les sols fertiles sont exposés à la chaleur tropicale, à l'humidité, à la fraîcheur des montagnes ainsi qu'aux pluies de

Plantation de théiers en Inde, où cette culture est traditionnelle depuis le XIXᵉ siècle. Aujourd'hui, un tiers de la récolte mondiale provient d'Inde.

Au centre des plantations, on rassemble la récolte, puis on la charge sur des camions afin qu'elle puisse être transportée et traitée le plus rapidement possible.

la mousson et favorisent la maturation des plantes. Ici, la cueillette des feuilles de thé est exclusivement manuelle. Le Darjeeling est considéré comme le roi des thés. Son infusion est plutôt claire et son goût est doux et fleuri. La plus grande partie de la récolte sert à la production de feuilles entières.

Pourtant, sous la dénomination bien connue de Darjeeling, sont vendus des thés qui proviennent d'autres régions. Entre-temps, le gouvernement indien a introduit la marque commerciale « thé Darjeeling » qui certifie l'origine du thé sur les factures et la marchandise.

Autres producteurs indiens

On trouve d'autres producteurs indiens au Sikkim, dans le Dooars et dans la région du Nilgiri. Le thé provenant des plantations de l'État du Sikkim situé au nord du Darjeeling possède un caractère similaire à celui du thé Darjeeling.

Dooars est situé entre l'Assam et Darjeeling. L'infusion brun clair du thé produit ici est aromatique et légèrement épicée. Ce thé est généralement employé dans les mélanges.

Sur le haut plateau des monts Nilgiri, on cultive le théier dans les provinces de Karnataka, Kerala et Tamil Nadu. À la période sèche, en fin d'année, on attribue au thé provenant de plantations situées entre 800 et 2 000 mètres d'altitude un doux arôme de citron raffiné. Les plantations sont exploitées essentiellement par de petits cultivateurs. On a recours aussi bien aux machines qu'à la méthode traditionnelle pour la fabrication du thé.

Le Bangladesh est le second État producteur de thé du sous-continent indien.

qui est située à l'ouest du massif montagneux central. Ici, le temps sec donne des thés de la plus grande qualité.

Népal

Le royaume du Népal dans l'Himalaya est bordé par le Tibet (Chine) au nord et par l'Inde au sud et à l'est. Ce pays compte parmi les plus jeunes producteurs de thé.

En 1863, Gajaraj Singh Thapa, beau-frère du Premier ministre et administrateur de la province de l'Ilam, se vit offrir par la Chine des graines de théier. Il créa donc le jardin de thé de l'Ilam. En 1873, on construisit la première manufacture de thé. Au milieu des années 1950, l'ONU développa au Népal la culture professionnelle des théiers et la subventionna dans le cadre d'un projet d'aide au développement.

Récolte du thé sur les versants du Nilgiri, dans le sud du sous-continent indien.

Sri Lanka

La culture du théier a commencé il y a une centaine d'années au Sri Lanka (Ceylan). Cette île était le second producteur mondial de café avant qu'un petit champignon, « la rouille du café », ne dévaste les plantations de caféiers. En 1860, un jeune Écossais du nom de James Taylor entreprit de planter quelques graines de théiers. Les plantations s'étendirent très vite. Aujourd'hui, le Sri Lanka est le deuxième producteur mondial de thé.

Le thé du Sri Lanka, pays qui a entre-temps gagné son indépendance, est commercialisé depuis plus d'une centaine d'années sous le nom de thé de Ceylan. Les conditions climatiques sont particulièrement favorables dans ce pays. En fonction de l'altitude des plantations, on parle de *Low grown* lorsque les théiers sont cultivés à moins de 650 mètres, de *Medium grown* entre 650 et 1 300 mètres et de *High grown* au-delà de 1 300 mètres. Les principales régions actuelles de culture de théiers sont : Nuwara Eliya, appelée Nurelia par les Singalais, qui abrite les variétés les plus fines pendant la mousson du nord-est, et la région de Dimbula

Cueilleuses lors de la récolte de thé à Oothu dans le Sud de l'Inde, l'une des plantations de théiers les plus renommées.

Au Népal, la plupart des thés sont fabriqués selon la méthode classique, en respectant les normes écologiques les plus modernes. Le goût et le caractère des thés produits au royaume du Népal sont comparables à ceux du Darjeeling.

Afrique

Sur le continent africain, la culture des théiers a commencé au début du XXᵉ siècle.

Burundi

Les jardins de thé du Burundi, situés à environ 2 000 mètres d'altitude, donnent de petites quantités d'un excellent thé à feuilles entières.

Cameroun

Le Cameroun cultive les théiers sur les contreforts fertiles du mont Cameroun. Les thés produits en Afrique de l'Ouest, autrefois allemande, sont des thés noirs soumis à la méthode CTC.

Kenya

Les plantations s'étendent sur le haut plateau qui surplombe le lac Victoria. En raison du climat favorable, le thé est ici récolté toute l'année. Le Kenya produit presque exclusivement des thés noirs soumis à la méthode CTC.

Malawi

Les principales plantations de théiers du Malawi sont situées dans la région de Mulanje au sud du pays et la récolte est effectuée toute l'année. La plupart des thés produits sont employés en mélanges.

Mozambique

Dans les jardins de thé, à environ 1 000 mètres d'altitude, on produit du Broken (feuilles brisées), destiné aux mélanges en sachets.

Rwanda

Pendant la période de troubles politiques des années 1990, les manufactures de thé ont été détruites et les plantations anéanties ou bien laissées à l'abandon. Entre-temps, la plupart des manufactures ont été reconstruites, modernisées et les théiers ont repoussé.

Tanzanie

Les théiers ont été cultivés pour la première fois en Tanzanie, en 1905, par des colons allemands.

Lorsque la période de la récolte arrive, il faut agir rapidement pour préserver la qualité des feuilles. Des centaines de cueilleuses de thé s'activent dans les jardins étendus.

Le thé issu des plantations de Bandung, sur l'île de Java a un goût puissant. Il est adapté aux mélanges.

Les plantations s'étendent dans le centre entre 1 000 et 2 000 mètres d'altitude. On produit ici du thé noir selon le procédé CTC.

Zimbabwe

L'ancienne Rhodésie ne possède que quelques jardins de thé étagés entre 1 000 et 1 400 mètres d'altitude. On y produit essentiellement du thé en sachets.

Amérique du Sud

Argentine

Depuis le début du XXe siècle, on cultive le théier dans les régions de Chaco, de Corrientes, de Formosa, de Misiones et de Tucuman. Les Argentins produisent surtout du thé instantané ou en sachets, ainsi qu'un peu de thé vert.

Équateur

La culture du théier a commencé sur le Sangay en 1962. Les manufactures équatoriennes produisent actuellement du thé selon le procédé CTC et en sachets.

Pérou

Les premières graines de théier furent plantées au Pérou au début du XXe siècle. Mais il fallut attendre la fin des années 1920 pour que les plantations prennent véritablement leur essor. Les principaux jardins de thé sont situés dans les régions de Cuzco et de Huanuco, où les coopératives produisent du thé noir. Dans d'autres régions, on fabrique du thé vert en petites quantités.

Autres régions

Australie

En Australie, les théiers sont cultivés à des fins commerciales depuis 1960. Après la récolte, les feuilles sont coupées mécaniquement, et le thé noir produit est conditionné en sachets. On produit du thé vert en petites quantités à Madura.

Indonésie

Sur les deux îles indonésiennes de Sumatra et de Java, ainsi qu'en Malaisie, on produit du thé toute l'année. Son goût puissant est particulièrement adapté aux mélanges.

Portugal

Après 1945, des jardins de thé ont été aménagés sur l'île des Açores (région autonome du Portugal), São Miguel. La récolte a lieu plusieurs fois par an entre mai et septembre et elle s'effectue le plus souvent manuellement. Elle est destinée à une production de thé noir et de thé vert.

Turquie

À Rize, dans le Nord de la Turquie, on produit un thé noir léger et agréable.

Variétés de thé

Seuls les bourgeons blancs et les bourgeons terminaux argentés sont employés pour la fabrication du thé blanc. En Chine, le thé blanc a longtemps été réservé à l'empereur et à sa cour.

On entend encore dire aujourd'hui que le thé vert et le thé noir sont issus de deux plantes distinctes, alors que la différence entre les deux réside uniquement dans le processus de fermentation. Pendant la période Ming, on a découvert que les feuilles de thé se conservaient plus longtemps après fermentation et dessiccation. Il existe une multitude de variétés de thé réparties dans les groupes suivants selon leur procédé de fabrication.

Thé vert

Dans le cas des meilleures variétés, on ne cueille que les deux premières feuilles et les bourgeons. Il faut impérativement éviter d'abîmer les feuilles sous peine de déclencher le processus de fermentation. Elles sont ensuite exposées à la chaleur pendant quelques minutes ou traitées à la vapeur, puis elles sont roulées et enfin séchées. Les feuilles de bonne qualité se distinguent par leur odeur fraîche évoquant le foin. Elles sont vertes et non brunes. Elles doivent être sèches, fermes et avoir un éclat mat.

Après infusion, il est très facile de reconnaître s'il s'agit de bourgeons terminaux ou de feuilles simples. Sur chacune d'elle, il est possible de voir si elle a été coupée au couteau ou bien cueillie manuellement. En outre, on peut vérifier si le thé comporte des morceaux de feuilles fermentées. Ceux-ci sont alors irrégulièrement tachés de brun.

Thé blanc

Pour la fabrication du thé blanc à l'arôme si raffiné, on emploie en Chine uniquement les théiers particulièrement « blancs ». On cueille alors les bourgeons blancs et les bourgeons terminaux argentés. La désignation chinoise Bai Hao (aiguille d'argent) fut traduite en anglais par le terme Pekoe.

Au printemps, lorsque les bourgeons apparaissent, les pousses qui présentent un duvet blanc argenté sont cueillies à la main. Elles sont séchées au soleil et ne sont ni exposées à la chaleur, ni roulées, ni même pressées. Les bourgeons restent entiers et confèrent au thé un arôme doux et fleuri.

Le thé blanc fut longtemps exclusivement réservé à la consommation de l'empereur. Il était particulièrement recherché en raison de son arôme raffiné et on le considérait comme un breuvage qui favorisait la longévité. Il est toujours très apprécié en Chine, où on le boit surtout en été pour se désaltérer.

Thé oolong

Oolong signifie « dragon noir ». Ce type de thé dont la fabrication est connue depuis l'époque Ming est aussi appelé « serpent noir ». D'après la légende, le propriétaire d'un jardin de thé fut tellement effrayé par l'apparition d'un serpent noir qu'il prit la fuite et revint seulement plusieurs jours après pour voir ses feuilles de thé séchées. Pendant ce temps, celles-ci avaient été oxydées par les rayons du soleil, et leur infusion donna un thé aromatique.

Le thé oolong est donc semi-fermenté, même si la durée de fermentation peut être très variable. La fabrication du thé oolong est l'une des plus difficiles et délicates.

Les feuilles disposées sur de grandes étoffes sont exposées au soleil pendant une heure, provoquant une légère fermentation. Pour favoriser la fermentation de certaines variétés de thés oolong, les feuilles sont secouées dans des corbeilles en bambou. Le bord des feuilles se déchire

Thé oolong : la fabrication du « serpent noir » compte parmi les plus délicates.

Thé noir

En Chine, le thé noir est désigné sous le terme de thé rouge.

Pour obtenir des thés de très bonne qualité, on ne cueille que les deux premières feuilles et le bourgeon – c'est également le cas pour le thé vert. La récolte est ensuite étalée sur de longues claies ventilées, où elle sèche pendant 12 à 18 heures. Lors du processus de fermentation, la feuille et le suc se modifient grâce à l'oxygène de l'air. L'oxydation donne alors au thé sa couleur brune caractéristique et son goût particulier (il faut noter que le thé noir contient peu de théine). En outre, il peut se conserver plusieurs années sans perdre sa saveur. Après la fermentation, le thé est trié selon le grade des feuilles : c'est le criblage.

Thé trié selon le grade des feuilles. Le grade des feuilles renseigne sur la taille des petits morceaux de feuille classés en quatre catégories : les feuilles entières, les feuilles brisées, le Fannings et le Dust.

alors, libérant le suc. Selon leur variété, les feuilles poursuivent le processus de fermentation à l'intérieur. Une fois flétries, elles sont disposées dans des tambours et séchées à une température de 70 °C pendant environ 45 minutes. Puis elles sont versées dans des morceaux de tissu en coton propres. Ces tissus sont noués en boule et roulés en machine environ 20 minutes. Puis les feuilles sont de nouveau mises dans les tambours afin d'être une nouvelle fois exposées à la chaleur. Cette opération peut être renouvelée une dizaine de fois selon la variété de thé. Le processus d'oxydation est interrompu lorsque le bord de la feuille brunit, tandis que le centre est encore vert. À la fin du processus de fabrication, les feuilles sont roulées serré. Pour finir, elles sont torréfiées pour favoriser la conservation de la production. Les thés oolong sont divisés en plusieurs types :

Pouchong
Ce thé à la couleur cuivrée subit une fermentation faible (12 %). L'infusion a une odeur fruitée et une saveur douce-amère.

Zhen Cha Oolong
Les feuilles subit une fermentation intermédiaire (30 %) et roulées plus serré. Ce thé a une saveur fruitée intense. La liqueur est riche et sombre.

So Cha Oolong
Lors de la fabrication, les feuilles sont roulées serré et soumise à une fermentation forte (50 %). L'arôme de ce thé est fumé et doux.

Kao-Shan-Cha Oolong
Ce thé, qui est produit dans les plantations des hauts plateaux, est fermenté jusqu'à 30 %. Il est de couleur vert doré, et son arôme est âpre et subtile.

Thé Pu Er
Connu en Chine depuis longtemps, le thé Pu Er tient son nom d'une petite ville située dans la province du Yunnan. Il est de plus en plus répandu en Europe. Ce breuvage aux vertus précieuses pour la santé est employé en médecine chinoise traditionnelle pour traiter les affections d'origines diverses. Pour la production du Pu Er vert, les feuilles sont cueillies au printemps et sont exposées à la vapeur chaude, puis traitées avec des champignons de culture au cours d'un procédé particulier (ajout de micro-organismes). Le thé est ensuite conditionné en vrac ou pressé dans des moules ayant la forme de demi-tasses, puis entreposé au frais pendant plusieurs mois. Sa saveur est douce et sa couleur verte.

Le thé Pu Er rouge résultant de la grande cueillette estivale est fabriqué de la même manière que le Pu Er vert. Après traitement, le thé Pu Er est tassé dans des caisses et entreposé pendant un long moment. Sa couleur devient rouge et sa saveur est terreuse. Le thé Pu Er peut se conserver beaucoup plus longtemps que les autres thés sans perdre ses qualités.

Le thé est originaire de l'empire du Milieu. Il est toujours cultivé
dans toutes les provinces du Sud de la Chine. On trouve les meilleures
variétés de théiers sur les hauts plateaux situés entre 1 000 et
2 500 mètres d'altitude. Dans les paysages magnifiques du Yunnan
se trouve l'une des principales régions de culture du théier.

Variétés et mélanges classiques

Thés classiques chinois

La Chine est le premier pays producteur de thé vert dans le monde. Les thés verts chinois se caractérisent en général par un goût légèrement âpre et fumé.

En voici quelques-uns parmi les plus connus :

Les feuilles de Gunpowder, roulées en petites perles, se déplient au contact de l'eau chaude.

Chun Mei

Ce thé au goût frais et un peu âpre est fabriqué en Chine, mais aussi à Taiwan, en Inde et en Indonésie. C'est un puissant anti-oxydant et ses feuilles sont dites en « sourcil de vieil homme ».

Gunpowder

Le gunpowder est produit en Chine et à Taiwan. Les feuilles, roulée en billes – d'où le nom de « poudre à canon » - se déplient au contact de l'eau chaude. L'infusion, jaune verdâtre, possède un goût frais et âpre.

Lung Ching (Puits du dragon)

Ce thé, produit uniquement dans la province du Zhejiang, se caractérise par un arôme subtil. Il compte parmi les thés chinois les plus précieux.

Pi Lo Chun (Spirale de jade du printemps)

Ce thé, originaire de Chine et de Taiwan, se distingue par la forme spiralée de ses feuilles et son goût doux et fleuri.

Thés noirs réputés

Keemun

Ce thé originaire de la province d'Anhui, se caractérise par la régularité de ses feuilles et son goût rond, fruité et douceâtre.

Lapsang Souchong

Les grandes feuilles du lapsang souchong sont séchées sur un feu d'aiguilles ou de résine de pin. Ce thé, qui peut se déguster seul, entre aussi dans la composition des mélanges russes.

Thés sculptés

Les thés sculptés, aux formes insolites, se composent uniquement de bourgeons terminaux cueillis à la main. Après un bref passage à la vapeur, ceux-ci sont roulés, puis liés entre eux au moyen d'un fil, de manière à former des rosettes aplaties. Les petits bouquets ainsi obtenus sont ensuite soumis à dessication.

Ces jolies rosettes, baptisées selon le cas « pivoines vertes » ou « roses de thé », contiennent exactement ce qu'il faut de thé pour une grande tasse et peuvent être réutilisées jusqu'à six fois.

Au contact de l'eau, les bourgeons se déplient et la rosette s'arrondit. Au centre, trois fleurs ressemblant à des chrysanthèmes émergent lentement. Pour jouir pleinement de ce spectacle, il est conseillé d'utiliser des tasses en verre.

Le Jin Shang Tian Hua (Anhui) et le Lu Mu Dan (Yunnan) sont deux exemples bien connus de thés sculptés.

Le nombre des bourgeons compris dans chaque « rose de thé » correspond exactement à la quantité nécessaire pour une grande tasse.

Le Lung Ching compte parmi les thés chinois les plus précieux.

Les thés sculptés existent aujourd'hui sous les formes les plus diverses – en boule, en cône, en forme de panier tressé et même de pagode. Quant aux fleurs qui se cachent à l'intérieur, on a désormais le choix entre le chrysanthème, la rose, l'œillet, l'amarante, le jasmin ou le lys. Un véritable jeu de formes et de couleurs s'offre ainsi aux regards. C'est donc le succès garanti lorsqu'on reçoit des invités ainsi qu'une très bonne idée de cadeau pour les amateurs de thé.

Le genmaicha, thé au goût de pop-corn, est un mélange de feuilles de sencha et de riz complet grillé.

Thés classiques japonais

Le Japon est le deuxième pays producteur de thé vert après la Chine. Les thés verts japonais se caractérisent par une note fraîche et herbeuse. En voici quelques-uns parmi les plus connus.

Sencha

Ce thé est le plus populaire au Japon. Le procédé de fabrication commence tout de suite après la cueillette. Les feuilles sont étuvées quelques instants, puis séchées par ventilation. Elles sont ensuite roulées plusieurs fois jusqu'à prendre la forme de petites aiguilles, et enfin dessiquées. Il existe différentes qualités de sencha en fonction de la période de récolte. Pour les qualités moyennes, la cueillette est mécanique.

Bancha

Ce thé vert contient beaucoup de tanins et peu de caféine. *Ban* signifie ordinaire, grossier. Les feuilles, de grande dimension, sont cueillies à pleine maturité. L'appellation « Thé de trois ans », qui lui est souvent donnée, vient certainement du fait que les feuilles qui le composent sont, pour beaucoup d'entre elles, restées sur la plante pendant deux ou trois ans avant d'être récoltées. Ce thé savoureux mais sans prétention est l'un des principaux thés de tous les jours au Japon.

Gabalong

Ce thé à l'arôme doux et subtil est réputé au Japon pour son effet bénéfique sur la santé. Le gabalong concentre en lui toutes les substances qui font du thé vert en général une boisson si salutaire.

Genmaicha

Cette spécialité est un mélange de sencha, de maïs grillé et de riz, d'où un léger goût de pop-corn.

Gyokuro

Le gyokuro, également appelé « goutte de rosée », compte parmi les thés japonais les plus raffinés et les plus onéreux. Dès l'apparition des premiers bourgeons, l'arbuste est recouvert de nattes en paille de bambou et de filets de couleur sombre. Lors de la récolte, en mai, seules les pousses les plus frêles sont prélevées. Les feuilles, qui n'ont bénéficié que de très peu de lumière, contiennent moins de tanins et offrent une saveur plus douce que celles des autres thés verts.

Kokeicha

Le kokeicha est un thé reconstitué. Les feuilles, réduites en poudre, sont mélangées à de l'amidon de riz, puis compressées de manière à former comme des aiguilles de pin.

Kukicha

Ce thé de qualité supérieure comprend non seulement le limbe des feuilles, mais également les tiges et les nervures. Son goût, léger, est à la fois parfumé et frais. Il fournit une infusion jaune clair.

Matcha

C'est ainsi que s'appelle le célèbre thé vert servi au Japon lors des cérémonies du thé. Il s'agit en fait de feuilles de gyokuro réduites en poudre sur une meule en pierre.

Shincha

Thé vert de très grande qualité. Chaque année, sa cueillette est entourée de festivités.

Le kukicha est un thé japonais qui contient non seulement des feuilles, mais aussi des tiges.

Ceylan (Sri Lanka)

Dimbula (OP + FOP)
Thé noir caractérisé par un goût âpre, épicé, corsé et légèrement citronné. La récolte a lieu de décembre à mars.

Nuwara Eliya (GFOP)
Il s'agit d'un thé noir au goût à la fois âpre et frais, avec un léger goût de citron. La récolte a lieu d'un bout à l'autre de l'année.

Ceylon Uva (FOP)
Ce thé d'altitude, qui pousse entre 1 300 mètres et 2 500 mètres, présente une saveur chaleureuse, puissante, âpre et légèrement citronnée. La récolte a lieu de juillet à septembre.

Inde

Assam
Le thé d'Assam (par exemple GFBOP, TGBOP, FTGFOP) a une saveur corsée, épicée et aromatique. Il sert souvent de base aux mélanges frisons, spécialités d'Allemagne du Nord.

Darjeeling Autumnal (FOP + GFOP)
Ce thé noir des versants sud de l'Himalaya est récolté après les pluies de mousson, de novembre à octobre. Il se caractérise par un arôme léger et délicat. Sa teneur en tanins est relativement faible.

Darjeeling First Flush (FTGFOP)
Ce thé noir, riche en nuances, est récolté en février et mars sur les pentes de l'Himalaya. Une partie de la récolte est immédiatement expédiée par avion vers l'Europe pour satisfaire à la demande des connaisseurs.

Le matcha, célèbre thé vert de très grande qualité, est utilisé au Japon dans le cadre des cérémonies du thé.

Thés aromatisés

Les thés aromatisés, comme le thé à la rose ou le thé au jasmin, proviennent de Chine. Le principe consiste à entreposer les feuilles fraîchement récoltées (soit un thé vert, soit un mélange de thé vert et de thé noir) au contact de fleurs fraîches afin que celles-ci lui communiquent leurs parfums. Les fleurs sont régulièrement renouvelées.

Le thé au jasmin, additionné de pétales séchés, est un thé vert léger et délicatement parfumé. Dans la médecine traditionnelle chinoise, on attribue à cette boisson le pouvoir de rétablir l'équilibre entre le yin et le yang ainsi que de stimuler la circulation du *qi*, l'énergie vitale.

Les thés parfumés commercialisés aujourd'hui en Europe sont souvent aromatisés très en aval au moyen d'essences ou d'huiles essentielles. Le procédé consiste à placer les feuilles dans un tambour à rotation lente et à injecter les arômes au compte-gouttes, de manière à obtenir une imprégnation homogène. Les arômes les plus utilisés sont les arômes de fruits, tels que cerise ou fruit de la passion, la vanille ainsi que certaines épices, comme la cannelle ou l'anis. Les agrumes, comme l'orange, le citron ou la bergamote (que l'on trouve notamment dans l'Earl Grey), sont également très prisés.

Mélanges classiques

Les thés proposés dans le commerce sont souvent des mélanges *(blends)*. Il en existe deux catégories : les mélanges composés de thés provenant d'une même région et les mélanges regroupant des thés de provenances diverses,

Mélange de plantes et de fruits, savoureux et haut en couleurs.

Five o'Clock

Ce mélange corsé, qui se boit avec un nuage de lait et accompagné de short-breads, de gaufrettes, de biscuits au gingembre, de petits sandwichs ou de tartines beurrées à la confiture, se composent de Ceylan Orange Pekoe ou de Flowery Orange Pekoe et d'un peu de Darjeeling.

China Caravan

Ce nom évoque le souvenir des caravanes qui acheminaient le thé de Chine jusqu'en Russie. Il s'agit d'un mélange aromatique composé de thés verts, c'est-à-dire non fermentés.

China White Tips

Ce mélange contient du thé fumé, Tarry Souchong ou Lapsang, et des thés chinois non fumés. Son goût aromatique est légèrement fumé.

Tea time : pas de five o'clock tea *digne de ce nom sans short-breads et biscuits au gingembre.*

comme l'English Breakfast ou le mélange frison. Pour la réalisation de leurs mélanges, les grands fabricants de thé disposent d'équipes de dégustateurs *(tea taster)* dont le rôle est de veiller à ce que la saveur du thé reste constante.

Ainsi, pour chaque appellation, la qualité est garantie et le prix fixé en conséquence. La proportion exacte des différents ingrédients relève du secret de fabrication. Les mélanges les plus prisés portent généralement le nom de leur fabricant.

Les mélanges de thé de Ceylan et de thé d'Assam sont plus corsés que les Darjeeling. Ils peuvent être bus sucrés, notamment avec du sucre candi, et additionnés le lait ou d'un zeste de citron.

Breakfast Tea

L'English Breakfast se compose de deux tiers de thé de Ceylan, au goût fruité, et d'un tiers de thé d'Assam, plus corsé.

Afternoon Tea

Les mélanges conçus pour être dégustés après le repas de midi ou en début d'après-midi sont généralement composés de thé de Ceylan et de thé d'Assam.

English Blend

C'est ainsi que sont appelés les mélanges composés de thés de Ceylan, d'Inde et de Chine, quel que soit le grade des feuilles employées.

Mélange de Frise orientale

Le mélange frison est une spécialité du Nord de l'Allemagne. Il se compose généralement d'environ deux tiers de thé d'Assam et d'un tiers de thé de Ceylan ou de Java/Sumatra.

Earl Grey

L'Earl Grey est un mélange de Darjeeling, d'Assam, de Ceylan et de Keemun de Chine, additionné d'essence de bergamote, ce qui lui confère un parfum d'agrume reconnaissable entre tous. Il existe deux variantes d'Earl Grey : le noir et le vert.

Rien de tel que le thé glacé pour étancher sa soif en été.

La légende dit que ce célèbre mélange doit son nom au vicomte de Fallodon, Sir Edward Grey, ministre des Affaires étrangères de Grande-Bretagne de 1905 à 1916. Lors d'un voyage en Orient, le vicomte mit la main sur une vieille recette de thé parfumé à l'essence de bergamote. Il l'offrit à un fabricant de thé britannique qui, pour le remercier, donna son nom au mélange retrouvé. Cette origine est très controversée.

Thé instantané

La fabrication du thé instantané commence par la préparation d'une grande quantité de thé dans des usines spécialement aménagées. L'infusion est ensuite déshydratée ou lyophilisée afin de donner un extrait sec qui pourra être vendu en poudre ou en granulés.

Thé glacé (Ice Tea)

Le thé glacé, vert ou noir, est très apprécié des Américains durant les mois d'été. Le temps d'infusion est un peu plus long que pour un thé chaud. L'infusion est versée bouillante sur des glaçons. Le refroidissement très rapide permet au thé de conserver tout son arôme.

C'est à Saint-Louis, dans le Missouri, à l'occasion de l'Exposition universelle de 1904, que le thé glacé aurait été inventé. Un commerçant britannique, Richard Blechynden, eut l'idée de remplacer les boissons réfrigérées habituellement proposées par du thé bouillant « on the rock ».

Le thé glacé vendu aujourd'hui tout prêt est généralement fabriqué à partir de thé instantané aromatisé. Il n'a donc pas grand-chose à voir avec l'original. Heureusement, rien n'est plus facile à préparer qu'un bon thé glacé.

Autres infusions

Le thé proprement dit correspond à l'infusion des feuilles de *Camellia sinensis* ou de l'une de ses sous-espèces. Nombre d'autres plantes peuvent être consommées sous forme d'infusion ou de décoction. Pour cela, différents organes – frais ou séchés – sont employés. Les tisanes de plantes sont souvent utilisées en automédication pour prévenir ou traiter les maux courants. Voici une sélection des plantes, fruits et épices servant couramment, soit seuls, soit en association, à la préparation de tisanes médicinales.

Anis (Pimpinella anisum)

L'infusion des petits fruits gris brun de *Pimpinella anisum* fournit une boisson au goût douceâtre qui favorise la digestion, stimule la circulation. L'anis entre souvent dans la composition des tisanes pour enfants.

Pomme (Malum)

C'est la chair et la peau du fruit qui sont ici utilisées. L'infusion produit un effet apaisant et facilite l'endormissement.

Valériane (Valeriana)

L'infusion de racines de valériane séchées apaise et favorise l'endormissement. Elle a un goût légèrement amer. La valériane est parfois appelée herbe-aux-chats. Les félidés ont une attirance naturelle pour cette plante qui les plonge dans un état second à chaque fois qu'ils en mâchonnent les feuilles, les fleurs ou les rhizomes.

Ortie (Urtica)

La tisane d'ortie, généralement obtenue par infusion des feuilles séchées, a un effet diurétique et protège contre l'anémie en raison de sa teneur très élevée en fer. Elle est agréable au goût.

Fenouil (Foeniculum vulgare)

Les graines de fenouil ont des propriétés apaisantes et mucolytiques. Leur infusion, au goût douceâtre, soulage en cas de troubles digestifs, de gaz et de coliques.

Ginseng (Ginseng radix)

Le ginseng, également appelé « racine de vie », fait partie des plantes médicinales les plus anciennes. On lui attribue de nombreuses vertus

Anis, fenouil et cannelle : ces trois épices entrent souvent dans la composition des tisanes médicinales, comme ingrédient principal ou pour donner du goût.

puis mises à fermenter dans un four préchauffé. L'infusion d'honeybush, riche en minéraux, tels que potassium, calcium, zinc, manganèse ou fer, est connue depuis environ 200 ans pour son action bénéfique sur la santé, notamment dans le traitement des troubles respiratoires.

Dans son pays d'origine, le honeybush est souvent préféré au thé, surtout en raison de son arôme naturel de miel. Comme sa teneur en caféine est quasiment nulle, il constitue une boisson idéale pour la soirée.

Gingembre (Zingiber officinale)

La racine de gingembre favorise la digestion, calme les spasmes, soulage les troubles gastro-intestinaux et stimule la circulation. En infusion, elle fait en outre transpirer. Elle est donc utile pour renforcer les défenses immunitaires en cas de rhume ou à titre préventif.

C'est en infusion que la racine tubéreuse du gingembre agit le plus efficacement sur l'appareil digestif. Les principes actifs de cette plante exotique soulagent les troubles gastro-intestinaux.

telles qu'augmentation de la capacité de travail et de la réactivité, renforcement du système immunitaire ou amélioration de l'état général.

Cynorrhodon (Rosa canina)

Cette boisson fruitée et acidulée, riche en vitamine C, est obtenue par infusion du péricarpe du fruit de l'églantier. Elle est très indiquée en cas de rhume du fait de ses propriétés immunostimulantes.

Hibiscus

L'infusion des fleurs rouges et charnues de l'hibiscus possède un goût fruité et acidulé. Elle calme les spasmes gastriques et intestinaux. Les pétales sont en outre souvent utilisés pour colorer et acidifier les tisanes de fruits et de plantes.

Honeybush (Cyclopia intermedia)

Le honeybush ou heuningbos est une plante arbustive originaire des régions montagneuses d'Afrique du Sud. Il doit son nom à l'odeur de miel qu'exhalent ses fleurs. Après la cueillette, les jeunes pousses et les fleurs sont séchées,

Camomille (Matricaria chamomilla)

L'infusion de capitules de camomille frais ou séchés est non seulement savoureuse et aromatique, mais elle a aussi, du fait de ses principes actifs, des propriétés anti-inflammatoires, antispasmodiques et antibactériennes. La tisane de camomille est donc très indiquée en cas de troubles gastro-intestinaux. Elle peut aussi servir en usage externe pour soigner les problèmes cutanés et les inflammations, par exemple additionnée à l'eau du bain ou sous forme de teinture à appliquer sur la peau.

Ail (Allium sativum)

L'ail est très prisé dans de nombreuses cultures, pour son goût unique, ses propriétés antibactériennes et antifongiques, et ses effets légèrement fébrifuges et fluidifiants sur le sang.

Lapacho (Tabebuia impetiginosa)

Le lapacho, également appelé thé des Incas, est l'écorce rouge brun d'un arbre poussant dans les forêts pluviales d'Amérique du Sud. Il est utilisé depuis des temps immémoriaux par les Amérindiens comme remède contre toutes sortes de maladies. La connaissance qu'ont les indigènes de son pouvoir thérapeutique et de ses nombreuses indications se transmet de génération en génération.
L'arbre croissant, son aubier migre vers l'extérieur et durcit. Il prend une teinte de plus en plus sombre, jusqu'à se transformer en écorce externe. Celle-ci, formée en un an, est prélevée, puis broyée. Elle est utilisée en décoction.
La boisson aromatique ainsi obtenue est riche en tanins et en minéraux. Le lapacho peut être consommé pour le plaisir de la dégustation ou

L'infusion de fleurs fraîches ou séchées de camomille est bien connue pour ses propriétés anti-inflammatoires, antispasmodiques et antibactériennes.

servir de traitement d'appoint de différentes maladies, comme la bronchite, l'anémie, le diabète ou la gastrite ainsi que, à titre préventif, contre le cancer. On peut également l'employer en usage externe en cas d'eczéma, d'abcès ou de mycose.

Baptisé « or vert des Indiens », le maté est issu d'une plante originaire du Brésil. Ses feuilles, sont vendues vertes ou torréfiées.

Tilleul (Tilia)

Il existe deux espèces de tilleul : le tilleul à petites feuilles *(Tilia cordata)* et le tilleul à grandes feuilles *(Tilia platyphyllos)*. Les fleurs et les bractées de l'une et l'autre espèce exhalent,

La tisane de menthe a depuis longtemps fait la preuve de son efficacité dans le traitement de nombreux troubles.

même séchées, une légère odeur de miel. Leur infusion, sudorifique et apaisante, est très indiquée en cas d'affection des voies respiratoires.

Pissenlit (Taraxacum officinale)

La tisane légèrement amère obtenue par infusion de la racine pivot et des feuilles du pissenlit, est dépurative, apéritive, diurétique et antirhumatismale.

Maté (Ilex paraguayensis)

Le maté, parfois appelé « or vert des Indiens », est un houx *(Ilex)*. Ses feuilles donnent une infusion réputée bénéfique pour la santé. Cette boisson, indiquée en cas d'épuisement psychique et physique, stimule en outre la digestion et le métabolisme.

Mélisse (Melissa officinalis)

L'infusion des feuilles séchées de la mélisse, plante herbacée également appelée citronnelle, fournit une boisson aromatique au goût très rafraîchissant.

Elle a en outre des propriétés antispasmodiques, relaxante et calmantes. En raison de sa saveur très agréable, la mélisse entre fréquemment dans la composition des tisanes de plantes. Elle est particulièrement indiquée en cas de troubles du sommeil et de nervosité.

Orthosiphon (Orthosiphonis folium)

Cette plante, parfois appelée moustache de chat en raison de ses étamines très allongées, pousse essentiellement en Asie du Sud-Est et en Australie. Ses feuilles séchées sont vendues dans les herboristeries ou en parapharmacie sous le nom de thé de Java.

Du fait de ses propriétés diurétiques et légèrement antispasmodiques, l'infusion d'orthosipohon est utilisée pour drainer en cas de stase urinaire ainsi que dans le traitement de diverses affections vésicales ou rénales.

La menthe fraîche est souvent employée pour améliorer le goût des tisanes composées.

L'infusion de mélisse a une saveur très fraîche et un effet apaisant et relaxant.

Menthe poivrée (Mentha piperitae)

La menthe poivrée est une plante herbacée originaire d'Angleterre. Ses feuilles, avec ou sans les tiges, fournissent une infusion au goût très aromatique et rafraîchissant, indiquée en cas de troubles gastro-intestinaux, de ballonnements, de nausées ou de maux de tête.

La menthe poivrée est en outre souvent utilisée pour améliorer le goût des tisanes composées. L'huile essentielle de menthe poivrée est un remède éprouvé contre les maux de tête.

La tisane de sauge était considérée dans l'Antiquité comme un remède miracle et un filtre d'amour.

Rooibos (Aspalathus linearis)

Le rooibos est un arbuste originaire d'Afrique du Sud, proche du théier. La boisson de couleur rougeâtre, aromatique et savoureuse, obtenue par l'infusion de ses feuilles est exempte de caféine et pauvre en tanins. Elle peut donc parfaitement être consommée par les enfants. En raison de ses nombreux principes actifs, le rooibos renforce le système immunitaire, soulage en cas de troubles gastro-intestinaux, apaise et favorise l'endormissement.

Sauge (Salvia officinalis)

L'infusion des feuilles de sauge commune, dite également sauge officinale, donne une boisson légèrement amère, connue pour ses propriétés antiseptiques, immunostimulantes, anti-inflammatoires et hypocholestérolémiantes.

Thym (Thymus serpyllum)

L'infusion des feuilles de thym séchées fournit une tisane médicinale très aromatisée, bien connue pour son action à la fois spasmolytique et mucolytique.

Conseils de préparation

La plupart des produits (fruits, fleurs, feuilles ou racines) utilisés pour la préparation de tisanes sont mis à infuser pendant cinq à dix minutes dans de l'eau bouillante (on compte en général une cuillère à café par tasse). Pour une tisane composée, il faut prendre tous les ingrédients en considération et faire une moyenne.

Alors que les tisanes d'agrément peuvent se boire légèrement sucrées, de préférence avec du miel, mieux vaut renoncer à tout édulcorant lorsqu'il s'agit d'une tisane médicinale.

Cueillette sauvage

Rien n'empêche de cueillir soi-même des plantes pour ses infusions et tisanes médicinales ; il faut cependant le faire dans le respect de l'environnement et se renseigner sur les espèces protégées. Pour obtenir les effets curatifs escomptés, il faut en outre tenir compte des périodes de récoltes, qui correspondent aux pics de concentration des principes actifs. Il faut enfin éviter les plantes poussant à proximité des autoroutes ou des grands axes de circulation ainsi que sur des sols contaminés par des polluants industriels ou agricoles.

Plantation de thé à Shizuoka, au Japon.
La première récolte est effectuée à la main,
ce qui demande beaucoup de travail.

Constituants et principes actifs

autre en raison du climat et de la nature de sol, ou encore selon que la récolte a lieu à telle ou telle époque de l'année et selon la façon dont elle a été réalisée. Les bourgeons terminaux et les jeunes feuilles contiennent plus de caféine que les feuilles pleinement développées et que les tiges.

Thé « plaisir »

La plupart des gens associent au thé l'idée de chaleur bienfaisante, de bougies et de convivialité. De fait, outre son effet stimulant sur le corps et l'esprit, cette boisson a aussi une action réconfortante. Consommée quotidiennement, elle a en outre des effets bénéfiques sur la santé.

L'effet stimulant est dû à la caféine, terme que l'on préfère désormais à celui de théine, les deux substances étant en effet chimiquement identiques.

La caféine contenue dans le thé met toutefois plus de temps à agir que la caféine du café. Cela tient au fait que les tanins présents dans le thé en ralentissent la libération. En revanche, s'il est plus lent à se faire sentir, l'effet stimulant du thé dure beaucoup plus longtemps.

L'homme politique anglais William Ewart Gladstone décrivit l'action du thé dans les termes suivants :
« Si tu as froid, le thé te réchauffera.
Si tu as chaud, il te rafraîchira.
Si tu es affligé, il te réconfortera.
Si tu es agité, il t'apaisera. »

Le thé vert est une boisson savoureuse et bénéfique pour le corps et l'esprit.

La composition chimique du thé, son action et son goût varient en fonction de la qualité, qui dépend elle-même de différents paramètres. Ainsi, par exemple, la teneur en tanins et en caféine n'est pas la même d'une région à une

Thé « remède »

Les Asiatiques conçoivent volontiers le corps, l'âme et l'esprit comme formant une unité. Cette vision holistique est le fondement même de la médecine traditionnelle chinoise (MTC). L'homme, la nature et le cosmos forment un tout, sont liés entre eux et interagissent continuellement.

Dans la philosophie chinoise, chaque chose a deux aspects : le yin et le yang. Il s'agit de forces contraires, telles que le féminin et le masculin ou le froid et le chaud. Entre ces forces, partout à l'œuvre dans la nature, doit régner l'harmonie. Le yin ne pourrait pas exister sans le yang, et vice-versa. Ils s'opposent et se complètent pour former un tout harmonieux. Ils s'interpénètrent sans arrêt. Le fait de boire et de s'alimenter doit contribuer au maintien ou au rétablissement de l'harmonie entre le yin et le yang, sans laquelle l'énergie vitale ne peut pas circuler librement. C'est pourquoi les Chinois boivent du thé aux repas.

Chaque plante possède des propriétés qui se communiquent à la boisson que l'on en tire. Nous avons étudié précédemment les vertus des tisanes médicinales courantes. Voyons maintenant quelles sont les propriétés thérapeutiques du thé, et plus particulièrement du thé vert. Et souvenons-nous que l'action d'un thé dépend en grande partie de sa qualité.

En raison des substances qu'ils contiennent, comme les huiles essentielles, les minéraux ou les oligo-éléments, les thés verts et les thés noirs peuvent aussi faire office de remèdes naturels. Les tanins combattent l'inflammation, soulagent l'estomac et l'intestin, et favorisent la guérison des muqueuses de l'appareil respiratoire en cas de rhume.

Pour conserver au thé sa qualité et sa saveur unique, il est préférable de le conserver dans des boîtes.

Le temps d'infusion joue ici un rôle important. Plus il est long, plus la libération de tanins est importante. Le thé gagne ainsi en âpreté. Le thé vert contenant plus de tanins que le thé noir, il convient de ne pas le laisser infuser plus de deux minutes.

Le thé fait l'objet de nombreuses recherches et des études récentes indiquent que le fait d'en boire régulièrement permet de réduire le risque d'infarctus du myocarde et de cancer.

La théophylline, présente en petite quantité dans le thé, stimule la circulation sanguine et a des propriétés antispasmodiques.

Le thé, surtout le thé vert, contient beaucoup de fluor, substance qui est bien connue pour renforcer l'émail des dents et aider la dentine à résister aux acides et aux bactéries, prévenant ainsi les caries.

Le thé vert est très riche en vitamine C, contrairement au thé noir, puisqu'elle est détruite lors de la fermentation.

Enfin, détail très important, le thé, qu'il soit vert ou noir, ne contient aucune calorie tant qu'on n'y a pas rajouté de sucre. C'est donc une boisson idéale pour ceux qui suivent un régime.

Pour que le thé ne soit pas amer, il faut respecter le temps d'infusion indiqué sur le paquet.

Autres applications

L'application sur les yeux de sachets de thé refroidi est indiqué en cas de fatigue oculaire.

En cas de coup de soleil léger, l'application de compresses trempées dans du thé froid apaise l'inflammation.

Après avoir fait frire un poisson, frotter la poêle avec des feuilles de thé humides permet d'éliminer l'odeur tenace.

Les jardiniers peuvent fertiliser leurs plantes en les arrosant avec du thé.

Des chercheurs japonais ont démontré que les tanins présents dans le thé avaient le pouvoir de neutraliser les émanations de formaldéhyde. Si vous êtes incommodés par les odeurs de peinture fraîche ou de colle, il est donc possible de diminuer sensiblement la concentration de formaldéhyde dans l'atmosphère en suspendant dans les pièces concernées des sachets de thé noir ou de thé vert usagés.

L'entreposage

Le thé, qu'il s'agisse de thé vert ou de thé noir, doit être conservé dans des boîtes hermétiquement fermées, à l'abri de la chaleur, de l'humidité et de la lumière. Les boîtes en céramique, en verre, en plastique et en porcelaine conviennent très bien. Les avis sont plus partagés en ce qui concerne les boîtes en métal. Beaucoup d'amateurs de thé les déconseillent, tandis que d'aucuns mettent en avant l'avantage que représente leur herméticité à l'air et à la lumière. Il est en revanche très important de ne jamais entreposer le thé à proximité immédiate du café ou d'épices fortes, dont l'arôme pourrait se communiquer aux feuilles, très fragiles. Enfin, la vapeur montant de la gazinière ou de l'évier peut également nuire à la bonne conservation du thé.

Il existe des boîtes à thé de toutes formes et de toutes tailles. Qu'elles soient en bois ou en métal, le principal est qu'elles ferment hermétiquement.

L'art du thé

Rituel du thé en Chine

C'est Lu-Yu (733-804), grand maître de thé, qui comprit le premier que le thé ne pouvait s'imposer durablement que si sa préparation et sa dégustation étaient codifiées.

Dans son traité sur la préparation du thé, il préconise de chauffer l'eau jusqu'à l'apparition de bulles ressemblant à des yeux de poisson et d'un léger murmure. La première étape est alors franchie. L'eau étant ainsi parvenue à la bonne température, on y ajoute une pincée de sel et quelques morceaux de bambou afin de réduire l'ébullition naissante. Après avoir pris soin de retirer une partie de l'eau à l'aide d'une louche, on verse à la surface les feuilles de thé pilées de manière à ce qu'un léger film se forme. Pour terminer, on réintègre l'eau puisée de manière à réduire la température de la boisson. Le thé était en général servi bien chaud dans de simples bols en terre cuite évasés. Ce mode de préparation se propagea par la Route de la soie.

La coutume des feuilles pilées perdure dans les régions montagneuses du centre de la Chine et

Traditionnellement, la cérémonie du thé se déroule dans un cadre naturel, empreint d'harmonie et de sérénité.

La sélection du thé, le mode de préparation, la vaisselle employée et les accompagnements font partie intégrante de la cérémonie du thé.

du Turkestan oriental. Les soupes au thé, consommées par les peuples nomades de Mongolie et du Tibet, en sont un avatar.

L'art du thé a été considérablement affiné sous la dynastie Song (960-1279). À partir de cette époque, on utilisa des bols de grès sombre à couverte noire, afin de faire ressortir par contraste le beau vert jade de l'infusion.

On versait d'abord un peu de poudre de thé au fond du bol préchauffé, puis on la couvrait d'eau bouillante. Le thé était ensuite battu à l'aide d'un fouet en bambou jusqu'à obtention d'une pâte. Une fois la consistance souhaitée obtenue, on versait le reste de l'eau, qui avait entre-temps légèrement tiédi, puis on battait de nouveau jusqu'à ce que la surface se couvre de mousse. Tout l'art consistait à ne jamais produire d'éclaboussures ni même à humidifier le bord du bol.

À la cour impériale, des concours de préparation du thé étaient souvent organisés. Le participant dont la mousse tenait le plus longtemps obtenait le titre dee « maître de thé ».

C'est à la fin de la dynastie Song que débuta la commercialisation du thé. La boisson, réservée jusqu'alors à la cour, se diffusa tout d'abord dans les classes intermédiaires, chez les mandarins, puis, progressivement, dans l'ensemble de la société chinoise. Des marchands avisés améliorèrent les thés de qualité médiocre par l'adjonction d'essences et de fleurs. C'est ainsi que furent créés les premiers thés parfumés, comme le thé au jasmin, le thé aux pétales de rose ou le thé à la fleur d'osmanthe.

Préparation classique

La méthode dite « des deux théières », mode de préparation qui a encore cours de nos jours,

Yixing est célèbre pour sa céramique, utilisée pour la cérémonie du thé.

s'est développée sous la dynastie Ming (1368-1644). Alors qu'elles étaient auparavant réduites en poudre et compressées, les feuilles de thé furent désormais utilisées entières. De nouveaux récipients, fermant hermétiquement, permettaient aux maîtres de thé de conserver leur précieuse denrée beaucoup plus longtemps. Grâce au développement rapide de la céramique et de la porcelaine, on put désormais fabriquer des contenants adaptés au transport en toute sécurité du thé et permettant de le conserver plus longtemps.

La méthode datant de l'époque des Ming consiste dans un premier temps à ébouillanter deux théières (l'une en porcelaine et l'autre en céramique) et autant de tasses qu'il y a de participants. Le maître de thé met ensuite les feuilles dans la théière en céramique, chaude et humide, puis verse par-dessus l'eau chaude

(environ 80 °C). Cette première eau, immédiatement jetée, est suivie d'une seconde eau. Après une à deux minutes, le maître de thé transvase l'infusion dans la théière en porcelaine en la filtrant au moyen d'une petite passoire.

Les services à thé sous la dynastie Ming étaient généralement en porcelaine bleu et blanc, appelée en Chine porcelaine Ching-Te-Chen, en référence au site de production, situé dans la province du Jiangxi. Il semble que la tradition de la porcelaine décorée se soit développée à la fin de la dynastie Ming et sous la dynastie Qing. La porcelaine chinoise acquit rapidement une réputation internationale et fut longtemps considérée en Europe comme un produit de luxe.

Gong Fu Cha

La cérémonie chinoise du thé, appelée « Gong Fu Cha », a très peu changé depuis l'époque

Ming. Elle a fait son apparition dans la province du Fujian, en Chine méridionale. Cette façon de boire le thé régénère le corps, favorise la détente et comble le sens esthétique par la beauté de la vaisselle et des accessoires utilisés. Pour mener à bien la cérémonie, on a besoin d'une ou plusieurs théières et d'une table à thé en bambou, en bois de rose ou en céramique, sur laquelle est disposé un grand récipient dans lequel plonger les ustensiles ou recueillir l'excédent d'eau. Un certain nombre d'ustensiles sont en outre indispensables.

L'hôte s'assoit d'un côté de la table tandis que les convives prennent place sur les trois autres côtés, plus ou moins face à lui. L'opération consiste tout d'abord à remplir la théière d'eau bouillante, à lui remettre son couvercle et à en asperger également les parois extérieures. L'hôte verse ensuite l'eau bouillante de la théière dans les tasses afin qu'elles soient elles aussi préchauffées. À ce stade, nous n'en sommes encore qu'aux préparatifs.

Pour la préparation proprement dite, l'hôte vide la théière dans le récipient et la remplit de feuilles de thé environ au tiers de sa capacité, puis verse de l'eau bouillante par-dessus dans un mouvement circulaire. Il replace le couvercle et asperge de nouveau d'eau bouillante les parois de la théière.

Cette première infusion, qui est immédiatement versée dans les tasses (pour les parfumer), est destinée à « nettoyer » le thé. Les pores des feuilles s'ouvrent, ce qui aura pour effet d'atténuer l'amertume des infusions suivantes. L'hôte remplit de nouveau la théière et laisse infuser entre 10 et 30 secondes, puis verse le thé dans les tasses en faisant plusieurs passages jusqu'à ce qu'elles soient toutes remplies et que la théière soit vide. Cette manière de procéder permet d'offrir à tous les convives un degré d'infusion identique. Une fois que les tasses sont vides, l'hôte recommence l'opération en prolongeant à chaque fois de dix secondes le temps d'infusion.

Règles de bienséance

Les personnes âgées doivent être servies les premières. Les autres convives doivent attendre qu'elles aient commencé à boire pour faire de même.

En tout état de cause, personne ne commence la dégustation tant que tous les convives ne sont pas servis.

La tasse doit être tenue entre le pouce et l'index, et maintenue par en dessous avec le majeur.

Le thé est bu lentement, et chacun savoure le parfum exquis du breuvage et déguste la liqueur à grand bruit de la bouche. Ce dernier point permettrait, en raison de l'apport supplémentaire en oxygène, d'exalter la saveur du thé. Les intermèdes entre les infusions sont mis à profit pour deviser.

Ustensiles

Cuillère à thé : pour puiser les feuilles dans la boîte à thé.

Entonnoir : pour verser le thé dans la théière sans en perdre.

Pince : pour manipuler le couvercle sans se brûler, pour retirer les bols du récipient d'eau bouillante ou pour observer les feuilles de thé et les trier.

Aiguille à thé : pour déboucher le bec de la théière en cas d'obstruction par des feuilles.

Bols à thé.

Récipient en terre cuite rempli d'eau bouillante pour baigner la théière et les bols.

Eau bouillante douce.

Quelques biscuits pour neutraliser le goût entre des dégustations successives de thés différents.

Rituel du thé au Japon

La cérémonie du thé telle qu'elle se pratique au Japon est issue d'anciens rituels, exécutés à l'origine par des moines. La cérémonie *(cha-noyu)* – c'est-à-dire la préparation et la dégustation du thé – devint la Voie du thé *(chado)*, une démarche d'expérimentation de soi et de travail de la conscience. *Do* signifie « chemin » ou « voie » et désigne ici une voie spirituelle sur laquelle, une fois engagé, il n'est pas possible de faire demi-tour.

Au Japon, plusieurs disciplines ont le même but : le judo (Voie de la souplesse), le kendo (Voie du sabre), le kyudo (Voie de l'arc), le kodo (cérémonie de l'encens ou Voie de l'encens) et le kado (Voie des fleurs).

La Voie du thé telle que nous la connaissons aujourd'hui remonte au grand maître de thé Sen no Rikyu (1522-1591), qui a défini quatre piliers : l'harmonie *(wa)*, le respect *(kei)*, la pureté *(sei)* et le calme *(jaku)*. L'harmonie et l'unité formée avec la nature sont valorisées au même titre que le respect des hommes, sans distinction, et que la valeur des choses. La pureté ne désigne pas seulement la propreté

À l'origine, la « chambre de thé » était intégrée à la maison d'habitation japonaise. Par la suite, la coutume du pavillon de thé indépendant s'est peu à peu imposée.

extérieure, mais aussi la pureté des pensées. En se conformant aux trois premiers principes, *Wa*, *Kei* et *Sei*, on finit tôt ou tard par trouver la paix intérieure *(Jaku)*.

La Voie du thé est un processus d'apprentissage ininterrompu, l'expérimentation de l'unité cosmique. Rikyu dit : « Donner en été une impression de fraîcheur et en hiver une impression de chaleur. Faire brûler le charbon de bois et contempler l'eau en train de chauffer. Préparer le thé en faisant en sorte qu'il soit savoureux. Il n'y a pas d'autre secret. » Néanmoins, pour réussir une cérémonie du thé, il faut beaucoup d'expérience.

Dans son ouvrage, le *Livre du thé*, Okakura définit la Voie du thé comme « un culte fondé sur l'adoration du beau jusque dans les occupations les moins nobles de la vie quotidienne.

Dans les écoles de thé japonaises, des maîtres de thé spécialement formés enseignent l'art de la Voie du thé et de la cérémonie du thé. Selon les écoles dont sont issus les maîtres de thé, les règles de la cérémonie peuvent différer légèrement. Si l'on a la possibilité d'assister à une cérémonie japonaise du thé, il faut absolument profiter de cette occasion.

Le maître de cérémonie doit veiller à l'harmonie de ses gestes et de son attitude mentale.

Les gestes de l'hôte sont à la fois mesurés et efficaces.

À la fin du repas, l'hôte offre à chacun de ses invités une sucrerie destinée à accompagner le thé fort (koicha) qu'il s'apprête à servir.

Cérémonie formelle (chaji)

La cérémonie formelle, toujours accompagnée d'un repas, peut durer plusieurs heures. Si elle se déroule dans un pavillon de thé, la traversée du jardin, dans lequel celui-ci se dresse, est considérée comme une mise en condition. Le jardin de thé est un lieu de préparation intérieure à la cérémonie.

La pièce dans laquelle se déroule le rituel est sobre et dépouillée. Le sol est couvert de tatamis sur lesquels sont disposés les ustensiles réglementaires.

Les gestes de l'hôte et des invités – mesurés, fluides et efficaces – sont exécutés selon un ordonnancement préétabli. La cérémonie, qui peut durer quatre heures, voire davantage, a pour but de libérer l'esprit des convives de tout ce qui les trouble et les préoccupe.

On distingue généralement deux formes de cérémonies en fonction de la saison : la saison du *furo* (de mai à octobre) et la saison *ro* (de novembre à avril). Le terme *furo* désigne un foyer portatif, celui de *ro* un foyer encastré dans le sol de la pièce. Ces deux formes sont très différentes l'une de l'autre, dans leur déroulement comme du point de vue des ustensiles utilisés et de l'atmosphère générale. L'exemple de cérémonie de type *furo* décrite ci-dessous, n'est qu'une des multiples variantes possibles.

Le début

Les invités de la cérémonie se retrouvent à l'heure convenue dans une salle d'attente. Ils pénètrent ensuite tous ensemble dans le jardin et s'assoient sur un banc jusqu'à ce que l'hôte apparaisse et les salue en silence par une pro-

Le thé est battu au moyen d'un fouet en bambou jusqu'à obtention d'une consistance épaisse. Koicha est le nom donné à ce thé vert épais servi pour commencer.

fonde révérence. Les invités traversent alors le jardin, se suivant en file indienne, puis vont se rincer les mains et la bouche dans une pierre creuse remplie d'eau.

L'entrée du pavillon de thé est étroite et basse, ce qui oblige chacun à se courber pour se faufiler à l'intérieur. Cette contrainte, qui oblige à l'humilité et au respect, est une façon de supprimer les différences sociales, tout le monde étant logé à la même enseigne. À l'intérieur, la pièce est sobrement décorée. Sen no Rikyu pensait que rien ne devait détourner l'esprit des participants de l'essentiel.

Les ustensiles utilisés, les mets proposés et les quelques éléments de décoration, tels que le rouleau calligraphique et les fleurs, sont choisis avec le plus grand soin et harmonisés les uns avec les autres. Il ne faut toutefois pas voir dans ce souci de la concordance l'expression d'une simple recherche esthétique. Le but est plutôt de faire en sorte que rien ne distraie les invités, car la Voie du thé se fonde sur le zen.

Dans l'alcôve *(tokonoma)* est suspendu un rouleau calligraphique sur lequel figure une maxime zen bouddhique en rapport avec la cir-

constance du jour ; chaque invité, l'un après l'autre, doit le regarder attentivement. Sur un foyer, trône une bouilloire en fer dans laquelle l'eau chantonne doucement. Une fois tous les invités assis, l'hôte entre à son tour et salue chacun d'eux. Il sert un repas léger composé de plusieurs plats, puis, avec des gestes cérémonieux, remet un peu de charbon de bois dans le foyer, et enfin offre à chaque invité une sucrerie destinée à préparer leurs papilles au thé (non sucré) qui leur sera servi par la suite.

Une fois le repas terminé, les invités quittent la pièce et attendent dans le jardin la deuxième partie de la cérémonie. Un gong annonce la reprise des « festivités ».

En l'absence des invités, le rouleau calligraphique a été remplacé par un vase de fleurs. À côté du foyer et de la bouilloire se trouvent désormais un récipient contenant de l'eau ainsi qu'une boîte à thé en céramique dans son étui de soie. L'hôte apporte un par un les autres ustensiles, c'est-à-dire le bol à thé et le fouet en bambou *(chasen)*, un linge et une cuillère – elle aussi en bambou –, le récipient de rinçage avec la louche en bambou et une soucoupe-couvercle.

Pour accompagner le second thé (usucha),
légèrement battu, les invités se voient offrir
de nouveau une sucrerie légère.

À la fin de la cérémonie, un bol de thé léger, appelé usucha, *est servi à chacun des participants.*

Commence ensuite la préparation du thé. Les gestes effectués par l'hôte sont strictement codifiés. Avec la louche en bambou, il verse un peu d'eau bouillante dans le bol afin de nettoyer celui-ci ainsi que le fouet qui s'y trouve, puis la jette dans le récipient de rinçage. Il verse ensuite une grande quantité de poudre de thé dans le bol en se servant de la cuillère, ajoute de l'eau bouillante à l'aide de la louche et bat le thé avec le fouet en bambou jusqu'à obtention d'une consistance épaisse.

Les participants gardent le silence et leur attention est entièrement focalisée sur le bruit des opérations en cours : sifflement de la bouilloire, bruits de pas sur les tatamis, clapotis de l'eau que l'on verse, battements du fouet et bruissements du linge de soie.

Une fois l'opération terminée, le maître de thé repose le bol contenant le thé épais *(koicha)*. Le premier invité se saisit lentement du bol, boit trois gorgées, nettoie le bord avec un linge humide et confie le bol à la personne assise près de lui, qui procède de la même manière. Après que tout le monde a bu, l'hôte clôt cette partie de la cérémonie en nettoyant tous les ustensiles

et en les disposant devant les convives afin qu'ils puissent les examiner. Il remet ensuite du charbon dans le foyer.

La phase suivante, moins formelle, autorise l'échange de propos mesurés, contrairement à

la précédente, où quasiment aucune parole n'avait été prononcée. L'hôte apporte des sucreries délicates et va chercher les ustensiles ainsi qu'un nouveau bol et un autre thé, conservé cette fois dans une boîte laquée *(natsume)*. Chaque invité se voit offrir un bol de thé léger et mousseux *(usucha)*. Après s'être adressé à chacun d'eux en particulier pour le remercier de sa présence, l'hôte lève la séance. Resté seul dans le pavillon, assis sur son tatami, il se remémore en silence et avec satisfaction le déroulement de la cérémonie.

C'est à Sen Soshitsu, quinzième grand maître de l'école Urasenke de Kyoto et descendant direct de Sen no Rikyu, que l'on doit la plus belle évocation de la cérémonie du thé :
« Je tiens dans les mains un bol de thé. Toute la nature se retrouve dans sa couleur verte. Fermant les yeux, je trouve en mon cœur une eau pure et de vertes montagnes. Assis seul, silencieux, buvant le thé, je sens qu'il devient une part de moi-même. Partageant ce bol de thé avec les autres, eux-mêmes font un avec lui et la nature. »

L'invité fait une révérence et remercie l'hôte pour son hospitalité.

« Tout en devisant, nous savourons un bol de thé
vert – des fleurs nimbées de vapeurs éclosent
parmi les nuages. »
Nishikoribe no Hikogimi

Rituel du thé en Angleterre

En Angleterre, le *tea time* est une véritable institution. Le thé y est sacré, surtout celui de cinq heures, le célèbre *five o'clock tea*, dont la tradition remonterait au XVIIIᵉ siècle. À cette époque, la duchesse Anna de Bedford, tourmentée par des crampes d'estomac et ne pouvant attendre le repas du soir, prit l'habitude de boire du thé accompagné de quelques petits gâteaux en fin d'après-midi. Cela lui réussit si bien qu'elle fit des émules.

La tradition s'entoura rapidement d'un véritable décorum, avec une importance toute particulière accordée à la nappe, au service à thé ainsi qu'à l'accompagnement – sandwichs, biscuits ou petit-fours.

Plus tard, au *five o'clock tea* vint s'ajouter le *early morning tea*, servi au lit avant le lever, le

Outre-Manche, le tea time *est depuis longtemps une véritable institution – so british.*

breakfast tea, servi au petit-déjeuner, et le *high tea*, collation servie le soir.

L'après-midi, les Britanniques prennent généralement un thé corsé additionné de lait. La coutume veut que le lait soit versé le premier. Mais les avis divergent : certains sont partisans d'un respect strict de la tradition, tandis que d'autres versent d'abord le thé et ajoutent ensuite un nuage de lait. Dans un cas comme dans l'autre, chacun peut, s'il le souhaite, ajouter du sucre.

Rituel du thé en Inde

En Inde, le thé est boisson nationale. Les Indiens apportent à sa préparation le même soin qu'à celle de leur cuisine. Il doit être aussi bien présenté qu'un poulet Vindaloo et aussi savoureux qu'un riz pulao. Il est toujours accompagné de sucreries.

En règle générale, le thé est bu addition de beaucoup de lait. Dans certaines régions, les feuilles sont infusées avec des épices, telles que cannelle, clous de girofle, anis ou cardamome.

Rituel du thé au Maroc

Bien qu'introduit relativement tard dans cette partie du monde, le thé y accompagne aujourd'hui systématiquement les repas marocains. La préparation du thé à la menthe, infusion de Gunpowder et de feuilles de menthe fraîches additionnée de sucre, est dévolue aux hommes. La coutume veut que la personne qui sert le thé maintienne la théière, ventrue, très en surplomb des verres afin que le parfum du thé, très aromatique, emplisse l'atmosphère.

Dans certaines régions de l'Inde, le thé est infusé avec des épices, comme la cardamome, le clou de girofle, l'anis ou la cannelle.

En Russie, le thé est traditionnellement préparé à l'aide d'un samovar et servi dans des verres décorés.

récipient est posée une théière contenant du thé concentré *(zavarka)*. À son gré, on verse un peu de concentré dans un verre (environ au quart), puis on complète avec l'eau chaude du samovar *(kipjatok)*. Le thé ne se boit pas dans des tasses mais dans des verres, souvent dotés d'un support, ce qui facilite le dosage selon la force souhaitée. Il est habituel de croquer un morceau de sucre ou de faire fondre sur la langue une cuillerée de confiture pour accompagner la boisson.

En plus du samovar et de la petite théière pour l'extrait de thé, on prévoit aussi un plateau et une coupelle pour recueillir l'eau qui goutte. Le thé russe, dont il existe de multiples variétés, est habituellement servi avec du sucre en morceau ou du sucre candi, du lait et des biscuits.

Les médecins russes considèrent le thé vert comme l'une des plantes médicinales les plus importantes. Ils le préconisent notamment comme tranquillisant en cas de troubles cardio-vasculaires.

Rituel du thé en Russie

En Russie, le thé se prépare traditionnellement au moyen d'un samovar (« qui bout par soi-même »). Cet appareil en cuivre ou en laiton, inventé dans le Caucase il y a environ 250 ans, était à l'origine alimenté avec du charbon de bois ou autre combustible, ce qui permettait de disposer d'eau chaude en permanence. Outre les samovars à l'ancienne, il existe aujourd'hui des samovars électriques, équipés d'une résistance cylindrique qui chauffe l'eau. Les prélèvements s'effectuent grâce à un robinet. Au sommet du

Rituel du thé à Taiwan

La préparation traditionnelle du thé selon la méthode chinoise du Gong Fu Cha fait partie intégrante de la vie quotidienne de la plupart des Taiwanais. Les tables à thé, en bois de cèdre ou en bois de rose, comptent parmi les principaux accessoires. Elles sont aussi finement ouvragées que la céramique de Yingge dans laquelle est servi le thé. Les manufactures de cette ville, située aux environs de Taipei, produisent des bols, des théières et des bouilloires dans des matériaux locaux, selon des méthodes de fabrication ancestrales. Ces articles artisanaux sont particulièrement appréciés des amateurs de thé oolong.

À Taiwan, lors de la cérémonie du thé, chaque invité se voit présenter sur un plateau en bois de rose un bol destiné à recevoir le thé qui sera bu et un récipient étroit destiné à recevoir un peu de thé qui sera simplement humé. Les participants peuvent ainsi savourer l'arôme du thé avant même que la cérémonie n'ait commencé.

En Frise-Orientale, le thé de l'après-midi se prend entre 14 et 15 heures – toujours avec un morceau de sucre candi et une noisette de crème.

Rituel du thé au Tibet

Le mode de préparation du thé tibétain au beurre de yak n'a quasiment pas évolué depuis plusieurs siècles. C'est le fils du roi Songsten Gampo (617-698) qui introduisit le thé compressé au Tibet. Les briques de thé étaient alors courantes en Asie centrale et en Russie car faciles à conserver et à transporter. Le mode de fabrication traditionnel consiste à piler le thé dans un mortier, à travailler la poudre ainsi obtenue avec du filtrat de riz et à presser le tout en blocs de 1 à 3 kg.

Depuis cette époque, le thé est la boisson nationale des habitants du royaume himalayen, dont la consommation s'élève aujourd'hui encore à 30 à 40 tasses par jour et par personne. Après avoir servi, les feuilles sont mélangées à de l'orge moulu et transformées en pâte, qui elle-même sera bouillie dans de l'eau avec des morceaux de brique de thé et du carbonate de sodium, du sel et des épices. L'extrait de thé ainsi obtenu est battu avec de l'eau chaude et du beurre rance de yak dans une baratte cylindrique. On obtient ainsi une boisson couleur cacao très reconstituante. Le thé au beurre de yak est souvent servi avec des galettes de maïs, d'orge ou de sarrasin.

Rituel du thé en Frise-Orientale

Les habitants de Frise-Orientale, région du nord de l'Allemagne frontalière des Pays-Bas, sont souvent comparés aux Anglais en raison de leur fort attachement au thé. Aujourd'hui encore, la tasse de thé fait partie intégrante du repas dans les foyers frisons. Le thé de l'après-midi, pris traditionnellement entre 14 et 15 heures, est servi avec des biscuits. Le déroulement des opérations a tout d'un cérémonial : on commence par mettre dans la tasse, sorte de bol avec une anse, un gros morceau de sucre candi, puis on verse le thé bien chaud de manière à recouvrir complètement le morceau de sucre, qui craque. Dans le parler local, on appelle cela, « faire rire le sucre ». Au moyen d'une cuillère recourbée, on dépose ensuite délicatement à la surface du thé une noisette de crème non battue qui sombre, puis remonte spontanément sous la forme d'un petit nuage. En aucun cas, le thé ne doit être mélangé. On commence ainsi par déguster le thé mêlé au nuage de crème, puis le thé « nature », plus âpre, et enfin le thé sucré qui se trouve au fond de la tasse.

Le maté en Amérique du Sud

Le maté jouit du statut de boisson nationale dans plusieurs pays d'Amérique latine. Il se boit traditionnellement dans une petite calebasse *(cuia)*, au moyen d'une paille filtrante *(bombilla)*. On remplit la calebasse de feuilles de maté jusqu'à mi-hauteur, puis on complète

avec de l'eau froide ou tiède. On n'utilise jamais d'eau bouillante pour la première infusion. Au bout de quelques instants, on enfonce la *bombilla* dans la calebasse en maintenant l'extrémité supérieure fermée avec le pouce, puis on aspire et recrache entièrement la première infusion, trop amère. Une fois l'opération terminée, on remplit la calebasse d'eau bouillante : la boisson est prête. La tradition veut que, lors des réunions, la calebasse de maté passe de main en main. On évite d'utiliser la *bombilla* pour remuer, car sinon elle se bouche. Les feuilles de maté peuvent être réutilisées plusieurs fois.

Les maisons de thé

Les premières maisons de thé furent fondées en Chine sous la dynastie Song. Ces établissements qui, à partir de la dynastie Ming, devinrent l'un des principaux lieux de rendez-vous et de convivialité, disparurent presque entièrement durant la Révolution culturelle. De nombreux lettrés et maîtres de thé prirent alors le parti de fuir à Taiwan. Quelques maisons de thé furent toutefois épargnées, notamment dans les provinces du Sichuan et du Yunnan. Depuis l'ouverture du pays, de nombreuses maisons de thé ont été réhabilitées ou bâties dans les parcs et les jardins pour répondre à la demande des touristes.

Les maisons de thé fleurissent également dans les villages et aux abords des villes. Mais elles sont différentes de ce qu'elles étaient, surtout du point de vue de la décoration, désormais très soignée. Avec le thé sont proposés non seulement diverses sucreries, mais aussi des plats simples.

Le thé n'est pas seulement un passe-temps réservé aux aînés. Les maisons de thé sont

Calebasse à maté traditionnelle. Cette boisson amère se boit à l'aide d'une paille filtrante appelée « bombilla ».

souvent des lieux de négociations commerciales. Les jeunes s'y donnent rendez-vous pour parler de sport ou de musique. Le week-end, les familles aiment à s'y retrouver.

Les maisons de thé japonaises

À l'origine, le thé était servi à l'intérieur des maisons d'habitation, dans un lieu en retrait de la salle de réception. Au XIVᵉ siècle, en dehors des grands concours de thé organisés par les personnalités de haut rang, la coutume voulait que le thé soit servi dans un salon privé, mais néanmoins décoré avec un grand souci de l'apparat.

Avec le grand maître de thé Murata Shuko (1422-1502), la cérémonie du thé devint plus sobre et la « chambre de thé » devint plus petite. Il en fixa même les dimensions : quatre tatamis et demi, soit environ 2,86 m x 2,86 m. Dans le taoïsme, le carré symbolise les quatre points cardinaux et les quatre saisons. Ici, les cinq tatamis utilisés symbolisent en outre les cinq éléments – l'eau, le feu, la terre, le bois et le métal. Du fait de la taille standard des tatamis, seuls deux ou quatre tatamis et demi peuvent produire un carré. L'accent mis sur l'intériorité, la simplicité

Maison de thé japonaise : l'accent est mis sur l'intériorité, la simplicité et l'essentiel.

et l'essentiel se remarque dans les matériaux et les ustensiles employés. Par la suite, cette tendance s'accentua encore sous l'influence de Takeno Joo (1504-1555), qui créa la pièce à trois tatamis et privilégiait les matériaux et objets naturels. Le thé fut désormais servi dans un pavillon *(sukiya)* spécialement bâti dans un jardin de thé *(roji)*, lieu de préparation à la cérémonie, qui marque la frontière entre le monde extérieur et le monde intérieur.

Le réduction à l'essentiel sera parachevée par le célèbre maître de thé Sen no Rikyu (1522-1591), qui réduisit la chambre de thé à deux tatamis et imagina la porte basse et étroite qui, en obligeant les hôtes à se baisser pour entrer, mettait tout le monde sur un pied d'égalité.

Rien ne doit compromettre l'harmonie de la rencontre. La simplicité et la sobriété sont de mise, aussi bien en ce qui concerne les matériaux de construction que la décoration intérieure ou les ustensiles servant à préparer et à servir le thé.

Les descendants de Sen no Rikyu, surtout son petit-fils Sen Sotan (1578-1658), s'appliquèrent à perpétuer l'art du thé tel que leur aïeul l'avait conçu.

Les maisons de thé anglaises

En Angleterre, au début du XVIIIe siècle, les maisons de cafés furent transformées en maisons de thé. Ces établissements étant réservés à la gent masculine, les femmes prirent l'habitude de se faire du thé à la maison. En 1717, Thomas Twining ouvrit le premier *tea room*, salon de thé ouvert à tous. Bientôt, d'autres lui emboîtèrent le pas. Apparut ensuite la mode des *tea gardens*, où le public pouvait venir déguster différents thés dans un cadre très raffiné et au son d'un orchestre.

La tradition des salons et des jardins de thés est toujours bien vivace en Angleterre, même si l'orchestre s'est tu et si l'exigence en matière de qualité n'est plus la même.

Aujourd'hui comme jadis, tout Anglais qui se respecte ne manque jamais, où qu'il se trouve, de prendre son thé à cinq heures. Cette règle à laquelle on ne déroge sous aucun prétexte fit dire au dramaturge britannique Alan Ayckbourn qu'il « n'existe qu'une seule institution au monde qu'il soit impossible de renverser : le *tea-time* anglais ».

« Il suffit qu'en un lieu, les convives réunis soient satisfaits du thé, pour que le faîte de la salle atteigne les cieux. »
(proverbe chinois)

Conseils de préparation et accessoires

les meilleurs résultats. Voici quelques conseils de base qui pourront vous y aider.

En ce qui concerne l'achat du thé, il est préférable, ne serait-ce que pour avoir plus de choix, de se rendre dans un magasin spécialisé. Des professionnels vous indiqueront le bon dosage et du temps d'infusion, en fonction de la qualité du thé. La quantité de thé à utiliser dépend en effet de la variété choisie ainsi que des préférences de chacun.

Dans tous les cas, le thé doit toujours être consommé immédiatement après avoir été préparé. Quelle que soit la méthode employée pour le maintenir chaud, le thé fraîchement infusé est toujours meilleur.

L'eau

Si le choix d'une qualité de thé est importante, la nature de l'eau employée est elle aussi déterminante. D'ailleurs, les maîtres de thé chinois employaient presque exclusivement de l'eau de source, de préférence issue des montagnes.

La plupart d'entre nous n'ayant pas cette possibilité, il faut en général utiliser l'eau du robinet. L'idéal consiste à utiliser de l'eau partiellement déminéralisée. Il faut en revanche éviter les eaux riches en chlore et en fluor ou très calcaires, ainsi que les eaux présentant une teneur élevée en sodium, en fer ou en magnésium oxydé.

On trouve aujourd'hui dans le commerce des adoucisseurs d'eau adaptables aux robinets.

Pour la préparation du thé, les maîtres de thé chinois n'utilisent que de l'eau de source.

Depuis le choix du thé jusqu'au mode de préparation en passant par les ustensiles utilisés – tout a son importance. C'est donc à chacun, en fonction de ses goûts, de déterminer la méthode qui lui convient et lui permettra d'obtenir

C'est une façon simple de disposer en permanence d'eau peu calcaire. La seule contrainte consiste à penser à changer régulièrement le filtre.

Le thé en sachets

Le thé en sachets, forme de présentation aujourd'hui extrêmement courante, aurait été inventé en 1904. L'histoire dit que, afin d'économiser sur les coûts de conditionnement de ses échantillons de thé, l'importateur américain Thomas Sullivan eut l'idée de remplacer les boîtes par de petits sachets de soie. Certains des clients à qui il avait envoyé ces petits sachets, trouvant l'idée géniale, ne prirent pas la peine de les ouvrir et les plongèrent tels quels dans l'eau bouillante. La demande pour ce nouveau type de conditionnement augmenta, et la soie fut bientôt remplacée par de la mousseline d'abord, puis par du papier.

Face à l'augmentation des cas de contrefaçons – ajout de teintures et mélange avec d'autres substances végétales –, un fabricant britannique eut l'idée de sceller les sachets en papier, d'y apposer sa marque et de les accompagner d'un certificat de garantie. Cependant, avec ce procédé, le thé prenait le goût du papier et de la colle. Quant aux sachets en coton utilisés plus tard, ils donnaient au thé un goût de renfermé. C'est alors qu'un ingénieur allemand, travaillant pour le compte d'une maison de Dresde, mit au point une machine à fabriquer les sachets à un prix intéressant et sans colle.

Aujourd'hui, tous les thés courants existent en sachets et nombre d'entre nous n'utilisent que cela. Pour le choix de sachets de thé, ce n'est pas tant la forme que la taille qui compte. Les feuilles doivent en effet avoir assez de place pour pouvoir se déplier complètement.

Depuis quelques années, la qualité du thé en sachet s'est dans l'ensemble beaucoup améliorée, mais il existe là aussi de grandes disparités. Si vous souhaitez utiliser des sachets, achetez-les de préférence dans un magasin spécialisé.

La présentation en sachets, remontant à 1904, a changé la vie des buveurs de thé. Mais les vrais connaisseurs n'apprécient guère cette solution de facilité.

Thé vert

Quelle que soit la variété choisie, il ne faut jamais utiliser d'eau bouillante pour la préparation du thé vert, car cela lui confère une saveur amère.

On peut au préalable ébouillanter la théière et les bols, ou les tasses, afin de les préchauffer (certaines méthodes déconseillant cependant de le faire). Une fois parvenue à ébullition, l'eau doit reposer et refroidir légèrement. Sa température doit être comprise entre 60 °C à 90 °C selon le thé.

Une fois l'eau à bonne température, mettre les feuilles dans la théière en comptant une bonne cuillère à café par tasse. Verser l'eau par-dessus en veillant à ce que les feuilles puissent se déplier complètement. Au bout de deux minutes, au plus, verser l'infusion dans les bols ou les tasses. Le thé vert se boit en général nature. La théière doit être vidée complètement, sinon les feuilles continuent d'infuser et le thé devient amer.

Selon la variété utilisée, le thé vert peut être réutilisé jusqu'à trois fois, en veillant seulement à laisser à chaque fois infuser un peu plus longtemps.

Qu'il s'agisse de thé vert ou de thé noir – c'est toujours fraîchement préparé que le thé est le meilleur.

Thé noir

Le thé noir exige une eau claire et douce. En effet, les eaux très calcaires altèrent sa saveur. Il suffit généralement de la laisser bouillir quelques minutes pour la rendre moins dure. Nous ne saurions bien sûr trop recommander l'eau filtrée, que nous avons déjà évoquée.

Pour la préparation, l'idéal consiste à utiliser deux théières différentes. Dans la première, on commence par mettre la quantité de feuilles souhaitée. On verse ensuite la quantité d'eau nécessaire dans une bouilloire et on la porte à ébullition.

Pour que le temps d'infusion soit précis, il est conseillé d'utiliser un minuteur, que l'on aura soin de mettre en route juste avant de verser l'eau sur les feuilles de thé.

Une fois le temps écoulé, on verse l'infusion dans la seconde théière en la filtrant dans une passoire fine. Les indications de dosage et le temps d'infusion figurent en principe sur le paquet de thé.

Le thé noir peut se boire avec ou sans sucre, avec du miel, un zeste de citron, du lait ou de la crème.

Les plantations vallonnées de Havukal, en Inde, sont entièrement dominées par le vert intense des théiers.

Cette plantation de thé se trouve également en Inde – à Singampatti.

Conseils de préparation et accessoires

Boule à thé

Pour faire infuser le thé, de nombreuses personnes utilisent une boule en métal ou en porcelaine. Cette méthode présente l'inconvénient de ne pas offrir assez de place aux feuilles pour pouvoir se déplier complètement. La libération des principes risque de ce fait d'être incomplète. Il est donc préférable de trouver une autre solution.

Filtres à thé en coton

Les « chaussettes à thé », ou filtres à thé permanents, vendues dans les magasins spécialisés et au rayon bazar des grandes surfaces prennent très rapidement l'arôme du thé qu'on utilise le plus souvent. Au bout d'un certain nombre d'utilisations, leur aspect devient peu avenant. Si vous tenez tout de même à les utiliser, prévoyez un filtre pour chaque variété de thé.

Filtres à thé en papier

Prenez toujours le grand modèle, afin que les feuilles aient suffisamment de place pour pouvoir se déplier complètement. Certains connaisseurs reprochent à ce type de filtre de conférer au thé un léger goût de papier.

Qu'il soit en inox, en plastique, en céramique ou en verre – le tamis doit être suffisamment grand afin que les feuilles puissent s'y déplier complètement.

Accessoires principaux

Pour apprécier pleinement l'heure du thé et en faire un moment privilégié, il faut prêter une attention toute particulière à la vaisselle et aux ustensiles utilisés. Pour que le plaisir de la dégustation soit total, les préparatifs et la préparation doivent être envisagés comme une mise en condition et, à ce titre, ritualisés. Pour cela, il est important de ne pas être pris par le temps.

Si vous avez des invités, dressez une jolie table avec un beau service. En tant qu'hôte, c'est à vous qu'il incombe de préparer le thé et de le servir. Pour cela, vous pouvez vous inspirer des différents types de cérémonies. Servez des biscuits et des gâteaux ou – pour faire comme en Grande-Bretagne – des petits sandwichs.

Voici quelques suggestions et conseils concernant les accessoires et les adjuvants.

Machine à thé

Les machines à thé électriques sont pratiques lorsqu'on manque de temps ou qu'on ne dispose pas du matériel nécessaire à un mode de préparation plus classique. C'est pourquoi on les trouve essentiellement dans les bureaux. Il faut par ailleurs tenir compte du fait que leur nettoyage peut représenter une tâche longue et fastidieuse.

Passoire à thé

Les passoires à thé peuvent être en inox, en plastique, en céramique ou en verre. Dans tous les cas, il faut qu'elles soient suffisamment grandes pour que les feuilles puissent s'y épanouir complètement. Nombre de théières sont aujourd'hui vendues équipées d'un filtre incorporé qui rend la passoire inutile.

Réchaud

Pour maintenir le thé chaud, on peut placer la théière sur un réchaud, à condition toutefois qu'elle soit encore bien pleine, faute de quoi le thé chauffe, devient très foncé et prend une saveur amère. Le thermos, qui ne présente pas cet inconvénient, est une alternative intéressante, surtout lorsqu'on doit se déplacer et se rendre dans un endroit où il n'est pas possible de faire du thé.

Théière

La théière, de même que les tasses à thé ou les bols, doit servir exclusivement pour le thé.

Les connaisseurs possèdent une théière pour chaque variété, afin d'éviter que le goût d'un thé corsé ne masque celui d'un thé plus subtil, comme cela peut notamment se produire entre l'Assam et le Darjeeling. Il faut en outre disposer d'une théière pour les thés fumés et une autre pour les thés parfumés, de même que pour les tisanes de plantes ou de fruits. Il existe des théières de toutes les formes, de toutes les tailles et dans divers matériaux.

Si le filtre incorporé de votre théière est trop petit, il est préférable de faire infuser les feuilles dans un récipient plus adapté, de manière à ce qu'elles puissent se déployer complètement. Il vous suffira ensuite, avant de servir, de transvaser l'infusion au moyen d'une passoire dans la théière destinée au service.

Il existe toutes sortes de réchauds, certains très décoratifs. Il faut cependant prendre des précautions car la chaleur de la flamme peut altérer le goût du thé.

Au Japon, la tradition des théières en fonte est très ancienne.

Théière et tasses en porcelaine fine témoignent de la place centrale accordée au thé dans la culture chinoise.

Les théières en terre cuite, dont l'intérieur n'est pas vernissé, se culottent très vite.

Théières en argent

Les théières en argent, qui attestaient autrefois de l'aisance matérielle de leurs propriétaires, comme en témoigne leur caractère souvent très ouvragé, conservent mal la chaleur.

Théières en fonte

En raison de l'épaisseur de leurs parois, les théières en fonte émaillée conservent le thé chaud très longtemps.

Au Japon, la tradition des théières en fonte est très ancienne. À la différence de celles que l'on trouve en Europe, elles ne sont pas émaillées à l'intérieur car les Japonais considèrent la rouille qui se forme au contact de l'eau comme une source de fer intéressante pour l'organisme.

Théières en porcelaine

L'intérieur des théières en porcelaine vernissée, généralement clair, prend ou bout d'un moment une teinte brunâtre très tenace.

Théières en terre cuite

Les théières en terre cuite, dont seul l'extérieur est éventuellement vernissé, se culottent très vite. Il ne faut pas les laver avec du détergent à vaisselle ni les brosser, mais simplement les rincer à l'eau claire et les laisser sécher à l'air libre.

Avant la première utilisation, il faut préparer un thé très infusé et le laisser toute une journée dans la théière afin de favoriser la formation du culot.

Théières en verre

Les théières en verre présentent l'avantage de ne pas s'imprégner des odeurs et d'être faciles à nettoyer. Elles peuvent donc servir pour plusieurs thés différents. En outre, le fait de pouvoir observer le thé pendant qu'il infuse donne un avant-goût du plaisir à venir.

Tasses à thé

Le thé peut se boire aussi bien dans des tasses en porcelaine délicate que dans des verres ou dans de simples bols en céramique. En Chine et au Japon, on utilise depuis toujours des tasses sans anses, tandis qu'en Russie et au Maroc, on préfère les verres à thé. Pour que l'arôme puisse se développer pleinement, les bols et les tasses à thé doivent être plus larges que hauts.

La tasse à anse, telle qu'on l'utilise en Europe, est une invention anglaise, inspirée des bocks servant à boire le *Hot Toddy* (grog à base de whisky). Dans certaines situations, comme par exemple au bureau, le mug peut être préférable à la tasse évasée, car il est plus stable.

Le mieux est de choisir le contenant en fonction de la situation et de l'ambiance. Il n'est pas nécessaire que ce soit toujours le même. Et, lorsqu'on a des invités, rien n'empêche, bien au contraire, de sortir le service à thé avec sucrier assorti, pot à lait et assiette pour les petits gâteaux.

Tasses à couvercle

Une simple tasse en porcelaine munie d'un couvercle, comme on en voit beaucoup dans le Nord de la Chine, suffit amplement pour se faire un bon thé. Une fois le temps d'infusion écoulé, on soulève légèrement le couvercle, juste assez pour pouvoir boire sans que les feuilles viennent avec l'infusion.

Le couvercle empêche le thé de refroidir trop rapidement, préserve ses constituants et le protège des insectes qui pourraient tomber dedans. Cette méthode est une bonne solution quand on ne dispose pas de théière.

Autres accessoires

Bouilloire

Que l'on fasse bouillir son eau dans une bouilloire en inox ou une bouilloire électrique, cela ne fait en principe aucune différence. Toutefois, si le degré de dureté de l'eau est élevé, mieux vaut utiliser la bouilloire classique en inox car les minéraux s'y déposent davantage.

Couvre-théière

Les couvre-théière, généralement en laine ou en tissu ouaté, empêchent le thé de refroidir trop vite. Il est toutefois préférable de ne pas avoir à s'en servir et de boire le thé tout de suite après infusion.

Doseur à thé

On trouve aujourd'hui des doseurs à thé efficaces et très esthétiques, en différentes matières, acier inoxydable ou corne, notamment.

La ville chinoise de Yixing est réputée pour sa céramique.

Minuteur

L'emploi d'un sablier ou d'un minuteur électronique permet un temps d'infusion exact. Il arrive souvent que, ayant mis du thé en route, on veuille faire autre chose pendant qu'il infuse et qu'on l'oublie. Les minuteurs avec alarme permettent d'éviter ce risque.

Pince à thé ou passe-thé

Cet ustensile, servant à attraper les feuilles de thé et à les maintenir prisonnières le temps de l'infusion, se compose de deux parties arrondies qui s'écartent quand on serre sur la poignée articulée à laquelle elles sont fixées. Pour que les feuilles puissent se déplier complètement, il est très important que la pince soit suffisamment grosse. Si l'on est pressé, il existe des infuseurs à thé que l'on plonge directement dans le bol ou la tasse.

La pince à thé doit être suffisamment grosse pour que les feuilles puissent s'y déployer complètement.

Adjuvants

Les vrais connaisseurs prennent toujours leur thé nature, *a fortiori* lorsqu'il s'agit de thé vert, et cela afin de pouvoir savourer pleinement son arôme et bénéficier au maximum de ses vertus. L'habitude d'additionner le thé, après infusion, de sucre, de miel, de lait ou de citron s'explique probablement par la qualité même des thés qui était à l'origine souvent médiocre. L'ajout de lait et de sucre dans le thé noir est une coutume anglaise. Les Hollandais, qui introduisirent le thé en Europe, mettaient eux aussi du lait dans le thé noir, alors très corsé, afin d'en atténuer un peu l'amertume.

Selon d'autres sources, l'ajout de lait dans le thé aurait des raisons historiques. Dans la première cargaison de thé qui parvint jusqu'en Europe se trouvait également de la porcelaine chinoise. Les Européens, craignant que le liquide brûlant n'abîme les tasses aux parois très fines, eurent le réflexe d'y verser un peu de lait avant de servir afin de les protéger, en atténuant la chaleur du thé.

L'effet des adjuvants sur le thé dépend énormément de la quantité que l'on utilise, mais, de ce point de vue, tout est question de préférences personnelles.

Alcool

Un bon thé se suffit à lui-même. Toutefois, certaines personnes aiment y ajouter une goutte de rhum ou, comme le veut la coutume écossaise, à l'accompagner d'un petit verre de whisky.

Citron

L'adjonction d'un peu de jus de citron rend l'âpreté de certains thés noirs plus supportable, même si l'arrière-goût amer subsiste. Si l'on préfère mettre une tranche avec l'écorce, il convient de n'utiliser que des fruits non traités. La tradition de la tranche de citron dans le thé vient de Russie. Cette façon de faire permettait probablement à l'époque de couvrir le goût de poussière dû aux conditions de transport.

Édulcorants

Les édulcorants qu'utilisent les diabétiques et les personnes soucieuses de leur ligne pour sucrer leur thé n'ont aucune incidence sur le métabolisme et sont généralement acaloriques.

Lait et crème

Pour éviter la formation de grumeaux, qui risqueraient d'altérer la saveur du thé, il est recommandé de mettre le lait ou la crème en premier dans la tasse. Bien que cela ne soit pas forcément très satisfaisant d'un point de vue gustatif, certaines personnes utilisent de préférence du lait condensé ou de la crème à café.

Miel

Si l'on souhaite sucrer le thé avec du miel, il est préférable d'utiliser un miel neutre.

Sucre

Sucre candi blanc : gros cristaux de sucre obtenus par concentration d'un sirop de sucre raffiné. Parmi les personnes qui sucrent leur thé, beaucoup privilégient ce type de sucre. D'autres l'utilisent de préférence au candi roux pour sucrer un thé clair auquel elles souhaitent conserver sa couleur.

Sucre candi roux : il est obtenu par chauffage d'un sirop de sucre raffiné, qui caramélise et se cristallise lentement.

Sucre de canne roux : sucre brun clair, peu raffiné, se dissolvant rapidement dans le thé et le fonçant légèrement.

Le **sucre blanc** ordinaire, aussi appelé sucre raffiné, est obtenu par cristallisation d'un sirop de sucre très pur. Il existe en moutures plus ou moins fines.

Le sucre candi est une bonne alternative au sucre en morceaux pour sucrer le thé.

Langage du thé

Assam
État du Nord de l'Inde, dont les plantations de thé sont les plus étendues au monde.

Attractive (attrayant)
Se dit d'un thé dont les feuilles ont une forme et une couleur homogènes.

Blend (mélange)
Désigne les mélanges de thé.

Body (corps)
Se dit d'un thé qui a de la plénitude et de la consistance.

Bold
Adjectif servant à qualifier les thés grossiers, dont les feuilles ne correspondent à aucun grade précis.

Bright (brillant)
Se dit d'un thé dont la couleur est à la fois claire et intense.

Brique de thé
Feuilles grossières et poussière de thé agglomérées de manière à former des blocs. Cette forme de présentation, pratique pour le transport, était autrefois très courante en Russie, au Tibet et en Asie centrale.

Broken = B (brisé)
Terme servant à désigner les thés dont les feuilles ont été taillées ou se sont brisées lors du roulage.

Broken Orange Pekoe = BOP
Terme servant à désigner les thés de qualité supérieure composés de feuilles brisées ou broyées.

Broken Pekoe = BP
Thés de qualité moyenne composés de feuilles brisées ou broyées.

Brownish (brunâtre)
Se dit d'un thé dont les feuilles ont pris une teinte brune du fait d'une température élevée à la dessiccation.

Caféine
La caféine du thé – également appelée théine – se libère plus lentement que la caféine du café. Elle met plus de temps à agir, mais fait effet plus longtemps

Cérémonie du thé
Rituel japonais issu du bouddhisme zen. La cérémonie du thé obéit à des codes très stricts.

Ceylan
Ceylan, ancienne colonie britannique nommée aujourd'hui Sri Lanka, est aujourd'hui le troisième pays producteur de thé au monde.

Choppy (taillé)
Qualifie les feuilles qui ont été taillées.

Clean (propre)
Se dit des thés dont les feuilles sont propres, exemptes de tiges, de poussières et d'impuretés. C'est le gage d'une infusion sans arrière-goût déplaisant.

Coarse (rude)
Se dit des thés qui ont un arrière-goût déplaisant.

Colour
Désigne la couleur des feuilles.

Contamination
Altération de la couleur et du goût.

CTC
(crushing = broyage, tearing = déchiquetage, curling = bouclage)
Nouveau procédé, plus rationnel, qui permet d'écourter l'étape de la fermentation.

Curly (bouclé
Qualifie les feuilles bouclées.

Darjeeling
Région du Nord-Est de l'Inde où sont produits les thés les plus précieux.

Dark (sombre)
Feuilles fonçant à l'infusion.

Dessiccation
Quatrième étape de la fabrication du thé noir, intervenant après la fermentation.

Dry (sec)
Se dit d'un thé sec en bouche.

Dust
Poussières de feuille récupérées par tamisage et destinées aux sachets.

Earl Grey
Thé noir parfumé à l'essence naturelle de bergamote (agrume).

Earthy (terreux)
Se dit d'un thé dont l'arôme et la saveur sont terreux et frais.

École de thé
Établissements japonais où des maîtres de thé enseignent l'art de la cérémonie du thé.

English Blend
Mélange anglais de thés noirs, généralement composé de Ceylan, de Darjeeling et d'Assam.

Even (régulier)
Feuilles entières ou brisées de forme et de couleur homogènes.

Fannings
Particules de thé – plus grosses que Dust et plus petite que Broken – récupérées par tamisage et essentiellement utilisées pour les sachets.

Fermentation
Phase oxydative dans la fabrication du thé noir. Cette opération entraîne une diminution de la teneur du thé en tanins. Les feuilles, qui sont vertes au départ, prennent une coloration rouge-brun et les substances aromatiques s'épanouissent.

First Flush
Terme désignant la première récolte de la saison.

Flavour (flaveur)
Terme employé pour parler de la saveur caractéristique du thé.

Flétrissage
Première étape de la fabrication du thé ; a pour but d'éliminer à peu près la moitié de l'eau contenue dans les feuilles.

Flowery (fleuri)
Qualifie les feuilles séchées jeunes et délicates.

Flowery Orange Pekoe = F.O.P.
Terme désignant les thés de qualité supérieure composés uniquement de bourgeons terminaux et des deux feuilles suivantes.

Flush (débourrement)
Période de croissance ou récolte.

Fruity (fruité)
Qualifie les thés qui ont une saveur fruitée déplaisante, en raison d'une contamination bactérienne.

Golden Flowery Orange Pekoe = G.F.O.P.
F.O.P. contenant une proportion importante de bourgeons.

Green (vert)
Se dit d'un thé noir dont l'infusion présente une teinte verdâtre en raison de procédés de fabrication abusivement écourtés.

Gritty (graveleux)
Qualifie les feuilles ayant excessivement durci à la dessiccation.

Gunpowder (poudre à canon)
Thé vert dont les feuilles sont roulées en perles.

Hard (dur)
Qualifie les thés dont le goût est pénétrant.

High grown (cultivé en altitude)
Thés d'altitude, caractérisés par un arôme particulièrement subtil et fleuri.

Irregular (irrégulier)
Se dit des thés dont les feuilles sont de taille et de couleur hétérogènes.

Kenya
Le Kenya est le premier pays africain producteur de thé.

Leaf (feuilles entières)
Grade appliqué aux feuilles intactes ou très peu brisées.

Malty (malté)
Qualifie les thés ayant un goût légèrement malté.

Milled (moulu)
Qualifie les thés passés à la meule.

Mixed (mixé)
Qualifie les thés dont la couleur des feuilles n'est pas homogène et les thés mélangés.

Mouldy (moisi)
Qualifie les thés ayant un goût de moisi.

Nilgiri
Région théière du Sud de l'Inde dont certaines plantations sont situées à plus de 2 000 mètres d'altitude.

Oolong
Thé semi-fermenté originaire de Chine et de Taiwan – aussi appelé « thé jaune ».

Orange Pekoe = O.P.
Terme servant à désigner les thés uniquement composés de feuilles prélevées au sommet des jeunes pousses.

Pekoe = P
Mot chinois désignant la troisième feuille en partant de l'extrémité de la pousse.

Pekoe Souchong
Terme désignant les quatrième, cinquième et sixième feuilles à partir du bourgeon terminal.

Pu Er
Thé noir chinois ayant fermenté plusieurs années sous l'action de bactéries – parfois commercialisé sous le nom de « thé rouge ».

Rain tea

Thé de qualité moyenne, récolté dans le Nord de l'Inde en période de mousson.

Rose de thé

Petit bouquet composé de jeunes feuilles de thé issues de la première récolte, s'ouvrant en corolles au contact de l'eau bouillante.

Samovar

Grosse bouilloire à robinet utilisée pour la préparation du thé, notamment en Russie.

Scorched (astringent)

Qualifie les thés ayant un goût très sec.

Second Flush

Thé puissant et épicé, récolté de mai à juin.

Smokey

Goût fumé pris par le thé en raison d'un bac de dessiccation insuffisamment hermétique

Souchong

Thés composés de grosses feuilles non roulées.

Tanins

Substances qui se combinent à la caféine du thé et en retardent la libération, le rendant ainsi moins excitant que le café. Les tanins ont en outre un effet calmant sur la muqueuse de l'estomac et des intestins.

Thé blanc

Thé chinois noble, non fermenté, contenant exclusivement les bourgeons terminaux couverts de leur duvet blanc.

Thé d'Indonésie

Thé provenant essentiellement de Sumatra et de Java, utilisé surtout pour les mélanges.

Théophylline

Substance vaso- et broncho-dilatatrice présente en petite quantité dans le thé noir et le thé vert.

Thé rouge

Voir Pu Er.

Thé vert

Thé qui a été séché sans avoir subi de fermentation préalable. La couleur verte des feuilles est ainsi conservée.

Thin, weak (ténu, faible)

Qualifie les thés manquant de corps.

Tip (pointe)

Terme désignant le bourgeon terminal des jeunes pousses du théier, couvert d'un fin duvet.

Tippy Golden Flowery Orange Pekoe = T.G.O.P.

F.O.P. contenant une forte proportion de bourgeons dorés *(tips)*.

Toasty (toasté)

Altération de la couleur des feuilles due à une dessication trop vive.

Well twisted (bien roulée)

Caractéristique d'une feuille qui a subi un flétrissage complet.

Western quality

Appellation réservée aux thés d'Assam, du Sud-Ouest de l'Inde et de Ceylan dont la récolte a lieu de janvier à mars, alors que l'air est sec et frais.

Copyright © Parragon Books Ltd
Queen Street House
4 Queen Street
Bath BA1 1HE, Royaume-Uni

Conception graphique : Ute Gierstorfer/Natalie
Blei, alex media, Gierstorfer, Ferstl & Reichert
GbR, Augsbourg, Allemagne
Réalisation : Natalie Blei/Petra Hammerschmidt,
alex media, Gierstorfer, Ferstl & Reichert GbR,
Augsbourg, Allemagne
Conception : Ursula Mohr/Michaela Mohr
Suivi éditorial : Michaela Mohr/Michael Kraft,
mimobooxx|textwerk., Augsbourg ; Konstanze
Allnach, Augsbourg, Allemagne

Copyright © Parragon Books Ltd 2007
pour l'édition française

Réalisation : InTexte, Toulouse

Traduction de l'allemand : Sabine Boccador
et Manuel Boghossian

ISBN : 978-1-4054-9274-4

Imprimé en Malaysia
Printed in Malaysia

Crédits photographiques

© Dave Bartruff/CORBIS 63 g, 64, 89 ; © Bett-
mann/CORBIS 19 ; © Bennett Dean; Eye Ubi-
quitous/CORBIS 23 ; © Free Agents Limited/
CORBIS 39 ; © Historical Picture Archive/CORBIS
18 ; © Julie Houck/CORBIS 81 ; © Karen Kas-
mauski/Corbis 57 ; © Johansen Krause/Archivo
Iconografico, SA/Corbis 16 h ; © Chris Lisle/
CORBIS 27 ; © Frank Lukasseck/zefa/Corbis 43 ;
Kai Mewes, Munich 4, 8, 10, 11, 12, 13, 14, 15,
16 b, 24, 28, 40, 41, 42, 44, 45, 46, 47, 48, 49, 50,
51, 52, 53, 54, 55, 56, 58, 59, 60, 61, 62, 63 d, 66,
67, 68, 69, 70, 71, 72, 73, 74, 75, 76, 77, 78, 79,
80, 82, 83, 84, 86, 87, 88, 90, 91, 93, 94, 95 ;
© Richard Powers/CORBIS 34 ; © Stapleton Col-
lection/CORBIS 21 h ; TeeGschwendner GmbH,
Meckenheim 5, 7, 9, 20, 21 b, 22, 25, 26, 29, 30,
31, 32, 33, 35, 36, 37, 38, 85 ; © Underwood &
Underwood/CORBIS 17.

Remerciements

Nous tenons à remercier tout particulièrement
la maison de thé KanShoAn de l'école Urasenke
de Munich pour la description de sa cérémonie
du thé et ses conseils amicaux ;
Alexander Dirrichs, du magasin TeeGschwendner
de Munich, pour ses précieux documents
et ses conseils éclairés ainsi que la société
TeeGschwendner de Meckenheim, pour son
soutien et les photographies qu'elle a bien
voulu mettre à notre disposition.